文化のポリフォニー

京都ノートルダム女子大学大学院人間文化研究科人間文化専攻

石川裕之・大風 薫［編著］

青木加奈子
岩崎れい
鎌田 均
河野有時
朱 鳳
蜂矢真弓
藤原智子
吉田朋子

かもがわ出版

はじめに

このたび、京都ノートルダム女子大学大学院人間文化研究科人間文化専攻に所属する教員で本書を上梓する運びとなった。本人間文化専攻は2005年に、文学や芸術など表象文化の分析から「文化」の特質を捉え、それを国際社会に発信することのできる人材育成を目指して開設された。その後、より複雑化を増す現代社会の課題に挑むために専門領域を拡充することとし、2022年に生活文化を新たな研究対象に加えて、「文化」を「人間」の知の営みの総体として捉える試みをスタートさせている。

現在、学問の世界では、多様な研究分野が相互に行き来しながら学際的に研究を進めていくことが期待されており、「文化」に関わる学問領域も例外ではない。社会のニーズに応えるべく人間文化専攻に所属する教員の専門分野は人文科学から社会科学、自然科学に至るまで多岐に渡っている。この流れが、本書のタイトル「文化のポリフォニー」の由来でもある。

「ポリフォニー（polyphony）」とはもともと多声音楽や複音楽を指す語である。対立する概念であるホモフォニー（homophony）は、主旋律があって、それ以外のパートはハーモニーを奏でる。一方、ポリフォニーというのはただの和音ではなく、それぞれのパートがメロディとして独立して進行し、対等で独自な音同士の繋がりに重きが置かれる音楽様式である。本書においても、異なる専門分野の研究者が集い、それぞれが主旋律を歌いあげるポリフォニーの手法をとっている。そして、その主題は専攻名に示すとおり「人間」と「文化」である。

本書は10章から成り立っている。第1章から第4章は学問分野でいえば人文科学にカテゴライズされよう。その中でも文学から、美術史学、中国語学に国語学と内容は幅広い。第5章から第9章は社会科学に分類されるが、こちらも図書館情報学から比較教育学、家族関係学、生活経営学と研究分野は多彩である。また同じ図書館情報学でも情報であったり、教育であったり、その研究対象は様々である。さらに第10章には自然科学に属する研究内容が綴られている。

これらは一見、ばらばらの寄せ集めに感じられるかもしれないが、先に述べたように「人間」と「文化」というキーワードによって横に広がりながら有機的に結びついている。なぜなら「文化」は「人間」の営みの中で生まれるものであり、その営みには能動的な知的活動のみならず、時代のうねりの中で受け入れざるを得ない事象を乗り越えるための工夫や知恵も含まれるからである。

「人間」は生きていく上で、他の動物とは根本的に異なった知的好奇心を重層的に積み上げて文明を作り出してきた。その層に水平的に広がる「文化」について、かつてはそれぞれの専門分野ごとに探求が行われていたが、近年の分野横断的なアプローチ法の増加と、研究成果の多様化、つまり社会全体のためは当然のこととして、ひとりひとりの個性への対応も求められるようになり、研究者にはより俯瞰的に観察する姿勢が必要になった。こうした背景が学際的な研究を盛んにした要因のひとつと考えられる。本学においても、新しい視点を求めて始まった他分野との交流が、2022年にリスタートした人間文化専攻の起点といえるだろう。

本書はどこから読んでいただいてもかまわない。気になった内容から読み進めて、興味を持っていただけたらと願う。また、専門分野が異なるため、章によって表記に若干の違いがあるが、これはそれぞれの分野の特徴でもあるので、比較を楽しみながら眺めていただけたら幸いである。

最後に、かもがわ出版の吉田茂氏には、本書の企画の意義をご理解いただき、出版の実現に向けて指揮者のごとく的確な助言と格別のご尽力を賜った。ここに深く謝意を表したい。

京都ノートルダム女子大学大学院人間文化研究科人間文化専攻
専攻代表　**藤原　智子**

文化のポリフォニー

もくじ

第1章

物語の挿絵の物語―「少年の日の思い出」考

河野　有時

（日本文学）

この少年のことを覚えておられるだろうか。襟付きのシャツを着て、髪を撫で付けた彼は、非の打ちどころがない模範少年のように見える。そして、冷ややかな目で侮蔑的にこちらを見て、こんなふうに言いそうだ。「そうか、そうか、つまりきみはそんなやつなんだな。」と。

彼はエーミールだ。ヘルマン・ヘッセ「少年の日の思い出」のあのエーミールである。中学校の国語の時間に読んだ小説の登場人物を、その台詞とともに思い出していただけたのではないだろうか。ただ、このエーミールには心当たりがないという人もいるかもしれない。

この挿絵は、平成13年検定の『伝え合う言葉　中学国語　1年』（教育出版）に用いられたもので、この時期にその教科書を使っていなければ記憶になくて当然なのである。「少年の日の思い出」は、これまで繰り返し教科書に採録されてきたが、言うまでもなく、挿絵は時代や出版社によって異なっている。中学生は複数の教科書を並べて見る機会がほとんどないために気がつかないが、それぞれの教科書の挿絵は各社が工夫を凝らしたものとなっているのだ。

本章では、中学校の国語教科書に掲載された「少年の日の思い出」の挿絵に注目して、それらがこの物語を読むこととどのように関連しているかということについて考えてみたい。そこで、まずはこの一枚から始めてみることにしよう。

１．スクリーンの効用

最初に、お断りしておかねばならないことがある。冒頭の少年について、さっき「彼はエーミールだ」と言ったが、そういった題や注が付けられているわけではない。この一枚が、チョウを盗んだ「ぼく」がエーミールに謝罪に行く場面、「そうか、そうか、つまりきみはそんなやつなんだな。」という台詞とともによく知られているあの場面に配されているので、勝手にエーミールだと判断したに過ぎないのである。ひょっとしたらこの少年が「ぼく」で、エーミールの軽蔑的なまなざしにじっと耐えているのかもしれない。あるいは、特定の誰かということではなく、「少年」というものが抱え込んでいる危うさを表徴しているのかもしれない。ただ、いずれにせよ、これが「少年の日の思い出」を彩ってきた数々の挿絵の中で最も印象的なうちの一枚であることは間違いのないところであろう。その理由の一つは、シルクスクリーンという技法が用いられていることによる。

シルクスクリーンは、孔版画の一種だ。版画は、インクをどのように写し取るかによって、大きく凸版、凹版、平版、孔版に分かれるが、まずは木版画を思い浮かべてもらおう。彫刻刀で木の板を彫って、墨をつけ、紙を敷いてバレンで擦ると、絵が転写される。これは彫られていない部分にだけインクがのるからであって、だから凸版なのである。逆に、版のへこんだ部分にインクを流し込み、凸部のインクをふき取ってから転写するのが凹版である。また、凹凸のない平面上で水と油の反発によってインクがのる部分とのらない部分を作り出すなら平版ということになる。リトグラフと呼ばれているのは、この平版画だ。

では、孔版とはどういう技法なのだろうか。「孔」の字は、たとえば「鼻孔」が「鼻の穴」のことを言うように、「あな」を意味する。孔版では、この「孔（あな）」にインクを通して印刷するのである。ここで、みなさんには、家の窓を開けてもらおう。暑い夏の日に風は通すが、蚊は通さない網戸がついていれば、網戸を窓枠から外して机の上に置いていただきたい。もちろん頭の中でだ。その網戸の網目の一部を塞いでみる。当然、インクはそこを通り抜けることができない。逆に、塞がれていない目の方をインクはすり抜けていく。網戸の真ん中に「★」の形だけ残して、周り全体を目止めして網目を塞ぎ、全体にインクを塗って、上から擦れば、「★」の形のところだけインクが通過して、中央に「★」が印刷されることになる。これが、孔版画の仕組みだ。まさか本当に網戸を使ったりはしない。枠を用意して、それにスクリーンを張るのだ。このスクリーンが絹であれば、文字通りのシルクスクリーンということになる。

このスクリーンを紫外線によって固まる感光乳剤というものでコーティングするとどういうことが可能になるだろうか。今度は透明のフィルムに「♥」を印刷しておく。そして、そのフィルムを感光乳剤を塗布したスクリーンの上に敷いて、紫外線を照射すると、「♥」の下の部分は光が当たらないので、そこだけ感光乳剤は固まらず、水で洗い流すことができるのだ。つまり、スクリーンの真ん中に「♥」の形だけ残して、周辺はすべて目止めされたことになる。だから、インクを塗って上から擦れば、「♥」の形のところだけインクが通過して、「♥」が印刷されることになる。透明のフィルムに写真を印刷して、スクリーンに焼き付ければ、写真を版とすることもできるのだ。アンディ・ウォーホルが著名人の写真から多くの版画を制作したと言えば、色違いでカラフルなマリリン・モンローを思い起こされた方もいるだろう。

さて、話を「少年の日の思い出」に戻さなければならない。ここまで長くシルクスクリーンの手法について説明してきたのは、その制作過程が「少年の日の思い出」という物語の方法に通じているからなのだ。

2．焼き付けられるということ

蝶を盗んだ「僕」が、母に諭されて謝りにいくと、エーミールは怒りをあらわにすることもなく、冷たく「僕」を見つめ、軽蔑し、突き放した。「少年の日の思い出」は、帰ってきた「僕」が収集していた蝶を一つ一つ取り出し、粉々に押しつぶしてしまうところで幕が下ろされている。この幕切れにひどく心を揺さぶられたからというわけではないだろうが、結末は印象に残っていても、冒頭部の方は存外忘れられがちだ。

物語は、「客は、夕方の散歩から帰って、私の書斎で私のそばに腰掛けていた」と始まっている。客との話が子供や幼い日の思い出に及ぶと、「私」は、子供に触発されてまた蝶を集め始めたと言い、収集を披露する。ところが箱から蝶を用心深く手に取った彼は、すぐにそれを戻し、ふたを閉じてしまった。そして、かつては自分も「熱情的な収集家だった」が、「自分でその思い出をけがしてしまった」のだと告げ、「ひとつ聞いてもらおう」とそのいきさつを話す。エーミールの蝶を盗んだ「僕」は、「私」ではなく「客」の方だというのが、「少年の日の思い出」の仕掛けなのだが、まずは客で友人であるところの彼の気配を読み取っておこう。

「もう、結構」と言って、箱のふたを閉じた「客」は、込み上げてくる不愉快な思い出にこそふたをしたかったようだ。「話すのも恥ずかしい」その思い出は、同時に消しがたい記憶として脳裏に焼き付いていたに違いない。

さて、いま「記憶として脳裏に焼き付いていた」と書いたが、この言葉遣いに見覚えはないだろうか。なければ１ページ前をもう一度目で追ってほしい。シルクスクリーンの制作手順に、「スクリーンに焼き付ければ」とあるはずだ。また、その前段には、「網目」「すり抜け」などの語も見られると思うが、これらも、「記憶の網目」や「記憶をすり抜け」のように「記憶」ということに関連して用いられることがあるだろう。

つまり、冒頭に掲げた北川健次の一枚は、物語られた一場面を描き出しているだけではなく、その制作過程、紫外線で焼き付けたスクリーンを版として刷り上げるという工程を通して、脳裏に焼き付いた記憶が思い出として物語られるということ自体を見事に表現しているのである。この挿絵に描かれた少年の目に見入られると、いまその場にいて冷徹な視線にさらされているかのような緊張感にさいなまれるが、それが「焼き付けられた」ものだと思って見直すと、縦線や網点がフィルムノイズのようにちらつき、遠い昔のこととして立ち現れてくる。描かれた少年とその描かれ方は、思い出される過去というものがいま目前にあるのではなく、スクリーンに投影されたものだということをよく示しているだろう。

「少年の日の思い出」の学習には「別の人物の視点で書こう」というおもしろい課題がある。ほとんど語られていないエーミールの心のうちをエーミールになって書いてみるというのは、ものの見方を捉え直すという点でよく工夫された指導法だと思われるが、物語に即して言えば、大人になったエーミールが「少年の日」を思い出しているという設定にすべきなのではないか。まだエーミールは冷たく「僕」を軽蔑しているかもしれないし、エーミールもエーミールの人生を生きて、「僕」を許さなかったことをずっと後悔しているかもしれない。回想の物語は投影するスクリーンの特性に影響されるのである。湖面に映った湖畔の景色をさざ波が揺らすように。そこで、次は物語がどのように映し出されているかについて考えてみよう。

3．見ているのは？ 語っているのは？

「少年の日の思い出」が、前半と後半に分かれていることは改めて確認するまでもないだろう。「私」と「客」の会話から始まり、「私」が案内者となって「客」の思い出に物語を導いていく。ところが、「僕」の話が始まると、案内者である「私」という設定が背後に退いて見えにくくなるためだろうか、出版社は工夫して次のような絵を冒頭に示すことがある。ここでも時代や出版社による、色調の違いを見てとることができるだろう。

左は昭和61年検定の『中学校　国語一』（学校図書）のもので、まだ挿絵も白黒だった。散歩帰りでもネクタイをしたスーツ姿なのは、それが当時の中学生が思い浮かべる大人の姿だったのかもしれない。対して右は、平成13年検定の『国語　1』（光村図書）からの引用だ。屈みこむように頭を下げているのが「客」だろうか、人物は影絵のように描かれ、その間で揺らめくランプの光が、その場の明暗を効果的に描き出している。また、縁取りが直線的でないところも、ここから「僕」の思い出話に導かれることやその顛末を暗示しているように感じられる。

しかし、ここでは描かれている内容ではなく、描き方に注目して、これらの絵は誰の視点から描かれていますかと質問してみたい。即座に「画家」と思われたのであれば、質問の仕方が悪かったと素直に反省して、問い方を変えてみることにしよう。

上空遥か高くから街を見下ろした絵があったとする。そのとき絵は誰の視点から描かれているだろうか。ひょっとするとスカイダイビング中の画家かもしれないが、そうなると太陽から見た地球の絵など誰にも描けないことになってしまう。空高くから街を見下ろした絵は、鳥瞰図とかバードビューなどと呼ばれることがあるが、それは制作過程において鳥の目が仮に設定されていることを意味している。上の２枚の絵では、その「鳥の目」にあたる視点はどうなっているだろうかと聞きたかったのだ。よって、厳密には「誰の視点」ではなく、

「どのような視点」と言わなければならなかったのかもしれないが、話をできるだけ分かりやすくするため「誰」のままにしておこう。その視点は、書斎で話す「私」と「客」を外から見ている人物の視点ということになるだろう。だが、そんな人物は「少年の日の思い出」には登場していなかったはずだ。だから、絵の制作上仮構された人物とも言い得るが、そういった人物を意識しながら読むこともできるかもしれない。

「少年の日の思い出」は、前半と後半で語り手が交代していると考えられてきた。前半部分は「私」、後半部分は「僕」である。「僕」の思い出話の中には、「今、僕の知人の一人が百万マルクを受け継いだとか、歴史家リビウスのなくなった本が発見されたとかいうことを聞いたとして」というような言い回しもあって、後半は「今」、「僕」が語っているとして、とくに違和感もなさそうだ。現行の指導書においても、光村図書『中学校国語　学習指導書１下』には、「語り手が途中で変わっている」と明記されている。「『私』が読者に現在の状況を語る前半と、『客＝僕』が自身の少年時代を『私』に語る後半に分かれている」というわけだ。

ところが、教育出版の『伝え合う言葉　中学国語１　教師用指導書　教材研究編　下』には、「この回想は『私』によって語られている」と書かれている。「私」というのは、「客」ではなく、その「客」を書斎に招いている「私」のことだ。これはいったいどういうことなのだろう。教科書の、しかも指導書なのに、なぜ見解が異なっているのだろうか。

４．物語りと挿絵

僕は、八つか九つのとき、ちょう集めを始めた。

「少年の日の思い出」の後半はこんなふうに始まる。「僕は」が主語となっているので、とりあえず後半は「僕」が語っていると見なすことができよう。従来、この「僕」の語りは、「客」が自分の少年の日を思い出しながら語っているものと受けとめられてきたが、これに異を唱えたのが竹内常一だった。竹内は、「わたしがかれの話を聞き取り、ひとつの物語に書いている」と指摘したのである[1]。「客」にとってこの思い出は、よどみなく語れるような性質のものでなかったはずで、「私」が、その「陰影をきわだたせ」、「主題を明確にしようとしたにちがいない」と見ての立論だった。丹藤博文が指摘するように[2]、前半部分は「友人は、その間に次のように語った」と閉じられていることから、「僕」の話は「私」によって編集されていることだってあり得るかもしれない。つまり、

　僕は、八つか九つのとき、ちょう集めを始めた。
　　（と、「客」の話を聞いた「私」がそれを語り直している。）

となっていると考えたのである。竹内は、「書いている」としていたが、それでは中学生が「客」の思い出話が活字になって発表される状況を具体的に想定しかねないことに配慮して、同じ竹内による「語りなおした」という語の方を用いてみた[3]。ただ、「語りなおした」でも、「私」が「語り直す」ときに鍵括弧で括られた母やエーミールの台詞は、「私」の声色により発せられるのだろうかというような疑問をもたれるかもしれない。ここでいう「語り」とは、そうした実際の発話ではなく、「物語を提示する行為」のことと考えてほしい。

さて、「（と、『客』の話を聞いた『私』がそれを語り直している。）」とは、乱暴に言ってしまえば、後半部分だけを取り出して読んだ場合と、前半部分に導かれる形で後半部分を読んだ場合とでは、何が違うだろうかということだ[4]。「私」に案内されて後半部を読むことで、思い出話の色調は変化するというのが、「私」によって「語りなおされる」ということだと思われるが、その違いを鮮明にさせたのが角谷有一の「『少年の日の思い出』、その＜語り＞から深層の構造へ――『光』と『闇』の交錯を通して見えてくる世界」だった[5]。

角谷は、「私」が「語り直している」という「作品の＜語り＞の構造」から、

「少年の日の思い出」は、

　自分の罪を認めて償いをすることができないままにエーミールに対する憎しみを抱き続け、心の奥底に闇をかかえて少年時代から大人の今にいたるまでの時間を生きてきた男が、「私」に促されて、過去の記憶をなぞりながら語ることによって、さらに、それが「私」によって再び語り直されることによって、自分の罪が顕わなものとして目の前に晒され、その罪に対する罰を受けなければならないことを受け入れていくという小説なのである。

と読み解いてみせたのである。やや論じ過ぎた感はあるものの、角谷の見方は、「少年の日の思い出」が、中学校１年の国語教科書に掲載されている教材であることを前提とすれば重要な問いかけをなしていると言えるだろう。もっとも、「作品の＜語り＞の構造」について言えば、前半部に登場人物として姿を見せている「私」の語りと、後半部の思い出話しの中には姿を見せない「私」の語り（直し）はより厳密に区別されるべきかと思われる。「私」を「語り手」と呼ぶとき、前半部の「私」という語り手は、登場人物でもあって、人格的な存在として読みの向こうに立ち現れてくるが、後半部での「私」という語り手は、「語り」という機能を比喩的に言い表したものだからだ。

　それでも、角谷の論述は中学校学習指導要領の「読むこと」に示された「場面の展開や登場人物の相互関係,心情の変化などについて,描写を基に捉えること。」や、「場面と場面,場面と描写などを結び付けたりして,内容を解釈すること。」と関連していることはもちろん、これからさまざまな小説や古典の読みを深めていくとば口にあって、物語の提示の仕方に着目すれば「作品がもつ魅力に迫ったりすることにつながる」(6) ことを示したものとなっていよう。

　だが、「私」による語り直しの意義を、「僕」（＝「客」）にとってのそれとして見通そうとしたことについてはいささか論を急いだかもしれない。

　後半部分の冒頭は、

　僕は、八つか九つのとき、ちょう集めを始めた。

だったが、

彼は、八つか九つのとき、ちょう集めを始めた。

とか、「友人は、八つか九つのとき、ちょう集めを始めたそうだ。」などと語り起こすこともできたのである。「私」はそうせずに、「僕は」を主語として一人称の語りをもってした。さきほどはこの一文について、

（「客」の話を聞いた「私」がそれを語り直している。）

と補足したが、より詳しく言えば、

僕は、八つか九つのとき、ちょう集めを始めた。
（と、「客」の話を聞いた「私」が客になり代わって、あたかも「客」自身がいま語っているかのように装って語り直している。）

とでもしなければならなかっただろう。では、「『私』が客になり代わって、あたかも『客』自身がいま語っているかのように装」うことには、どのような効果や意味があるのだろうか。

たとえば、エーミールに謝罪に行って突き放されたあとの思い出話の幕切れを取り上げてみよう。「その瞬間、僕は、すんでのところであいつの喉笛に飛びかかるところだった。」という文から始まる最後の二つの段落は、12の文からなっているが、「僕は」「僕の」「僕を」「僕に」と10ヶ所で「僕」という語が畳みかけるように繰り返され、「僕」の物語であることが強調されている。それにより、語り直している「私」は言うまでもなく、あたかもいま語っているかのように装われた「客」も、つまり語っている行為自体が後ろに退いて透過し、語られている「僕」が前面に押し出されるのである。だから、読者は「僕」がちょうを一つ一つ取り出して粉々に押しつぶしてしまう最後を迫真的に目撃することになるのだ。

これが三人称で語られていれば、語り手は「僕」やエーミールの心中に立ち入り、注を付してもよいことになる。だが、一人称の語りが採用されたことで、登場人物の行動や心情に対する説明や分析が際限なく入り込む事態は抑止された。「私」の語り直しが、「客」の語ったところを「忠実に再現」[7] したもの

だという理解があるが、もともとの「客」の語ったところは不明であるのもかかわらず、そのような印象を与えたのであれば、それは「私」が一人称の語りをもってしたためだったのだ。

「私」がこういう一人称の語りを採用し、「私」と「僕」という二つのそれを向き合わせたというのが「少年の日の思い出」の手法なのである。そこでは、「私」の主観と「僕」の主観は相互に作用し合う。「私」による語り直しが「客」に少年の日の捉え直しを迫るという理解は、別言すれば、「僕」の主観が「私」の主観にさらされて相対化されるというようなことなのだろう。書斎で「私」の収集を見た「客」は、不愉快ででもあるように「もう、結構。」と言ってそれ以上は見ようとしなかったと「私」は語ったが、それはエーミールもあのとき「結構だよ。僕は、君の集めたやつはもう知っている。」と言って「僕」の収集を見ようともしなかったと語った「僕」への批評を含んでいると考えるのだ[8]。

一方で、「僕」を装ってなされた「私」の語り直しにおいては、「僕」の主観に「私」の主観が浸潤しているとも考えることができる。語り直しの対象が判然としない以上、その度合いを推し量ることなどできようはずもないが、「僕」による一人称の語りを仮構した「私」は、「僕」として「僕」の少年の日を生き直したと言うことはできるだろう。語り直すことは、それをする自分と向き合うことでもあるからだ。「それどころか、一年前から、僕はまた、ちょう集めをやっているよ。お目にかけようか。」と屈託なく言った「私」は、「客」のような「話すのも恥ずかしい」思い出とは無縁だったようだが、「僕」として少年の日を語ることで、「私」は「私」のスクリーンに「僕」やエーミールを再生したのである。それによって、「私」は、「私」の中に「僕」やエーミールを見出しそれと対峙したのではないか。書斎で「ここらではごく珍しい」と言ってワモンキシタバを見せようとした「私」と、少年の日の「僕」が「僕らのところでは珍しい」青いコムラサキだけは見せたいという気になったと語られていることが重なっているのは、そのことを示唆しているように思われる。

「私」の語りによって、湖畔の邸宅に住み、書斎へきちんとおやすみを言った末の男の子にさえエーミール的な気配がしてくると言うのはさすがに言い過ぎだろうが、現在から過去を回想するとき、回想された過去は回想する現在のスクリーンに映し出されるという事情をこの物語はよく示している。「少年の日の思い出」においては、「私」の語りの現在と、「私」が仮構した「客」の語りの現在の双方が少年の日から逆照射されるのだ。そして、この回想する現在と回想される過去が織り交ざる形式は、言語による表現の特質をよく活かしたものだと言うこともできよう。

言語による表現は、現在を言い表すのが得意ではない。ある状態が継続しているのを伝えるのでやっとという程度ではないだろうか。ツイートでも、ポストでもいいが、そうしようとするとき、作成ボックスは「いまどうしてる？」と尋ねてくる。どうしてるもなにも、作成ボックスを見ているに決まっているではないか。目の前で起きている事件を瞬時に世界中に発信できても、作成ボックスへの入力は事後的にならざるを得ないのである(9)。逆に、絵画は「回想」することが苦手だ。人類とマンモスの格闘を描けば、絵の内容からそれが旧石器時代のことだとすぐに知れるが、仮構された視点はいま目前で行われている猟を目撃していることになるからだ。

本文に挿絵を入れるということは、この得手不得手を交錯させるということだと思われるが、中学校の国語の教科書にあっては、生徒の読みに広がりや深まりをもたらす手掛かりとなるに違いない。それは小学校の教科書における挿絵が児童の想像力を刺激するというところからさらに進んで、物語における視点や語りの問題について考える契機となるだろう。だが、中学校の国語教科書に掲載されている挿絵を読むということはあまり行われていないかもしれない(10)。視点の位置と語り手の位置、それらの機能についてはきっちりと分けて考えなければならないが、挿絵が初めて教科書に取り入れられ始めたそのときから、挿絵はじっと問いかけを続けていたのである。

最後にもう一枚挿絵を見ていただくことにしよう。紹介するのは、現在使用されている令和２年検定の『現代の国語　1』（三省堂）に載っているもので、装丁画やカットで多くの書籍に花を添えたイラストレーターの宮崎ひかりの作品である。機会があれば、深緑野分『この本を盗む者は』（KADOKAWA）や夏川草介『本を守ろうとする猫の話』（小学館）の素晴らしい表紙もぜひご覧いただきたい。

宮崎は、ウェブサイトのnoteに「挿画『少年の日の思い出』―メイキング」をあげている。その記事からは、編集者との打合せからラフイラストの制作、それに対するフィードバックと修正を経て、挿画が完成するまでの制作過程が公開され、関係する人たちが１枚１枚にどれほど心を砕いているかが読む者に伝わってくる。上の１枚は、全４点のうちの４点目で、最後の場面を描き出している。メイキングでは、ベッドに座っている少年のラフイラストも見ることができるが、編集者から「『その後ベッドの上に座った』という描写がないので」という意見が出て、ベッドの横に膝をついている構図になったそうだ。編集者の注文を受けとめ、宮崎が少年を膝立ちにしたことで、彼の後悔や自責の念がいっそう見る者の胸を強く打つようになったのではないか。

さらに、宮崎はこの挿絵に光を差し込ませた。それこそ原文には「寝台の上に載せ、闇の中で開いた」とあるのに。編集者もこれには「闇の中のことです。」とは言わなかったようだ。差し込む光と、蝶の鱗粉が光に反射しているかのような輝きに思わず見入った中学生も少なくないだろう。差し込んでくる光の源、その光源は語りの現在にある。物語りは、闇の中で粉々に押しつぶされた蝶の鱗粉を照らして、きらめくように舞い散らせたのである。

<付記>「少年の日の思い出」の引用は、原則として令和２年検定『国語　１』(光村図書)によったが、挿絵に関連する原文の引用は挿絵が掲載された教科書によった。引用に際してルビは省略した。挿絵は白黒で引用し、引用に際してサイズが変更されている。

〔注〕

(１) 竹内常一「罪は許されないのか」(田中実・須貝千里編『文学の力×教材の力　中学校編１年』2001・6、教育出版)

(２) 丹藤博文「『少年の日の思い出』再論――須貝千里氏の批判を受けて――」(『愛知教育大学　国語国文学報』第71集、平25・3)

(３) 竹内常一『読むことの教育――高瀬舟、少年の日の思い出』(2005・3、山吹書店)

(４) 鈴木昌広は『メロスはなぜ少女に赤面するのか「テクスト分析」でつくる文学の授業』(2020・4、三省堂) において、「第二場面だけの物語」であれば、「教訓話になってしまう」と指摘している。

(５) 田中実　須貝千里編『文学が教育にできること――「読むこと」の秘鑰<ひやく>――』(2012・3、教育出版)

(６)『中学校学習指導要領(平成29年告示)解説　国語編』平30・3、東洋館出版社)

(７)(５) で角谷は「できるだけ『ぼく』の語りにこめられた思いを忠実に再現しようとして語り直していると読むべきであろう」と、(４) で鈴木は「『僕＝客』が『私』に語った<少年の日の思い出>を忠実に再現して語る――という語りを採用することとなった」としている。

(８)『中学校国語教材研究大事典』(1993、明治図書) の「５　文章表現の特質」が「第一部の『もう結構。』という断りの表現は、第二部の『結構だよ。』という拒絶表現によって再度意味をもつ」ことになる「注意すべき伏線的な表現」と指摘するなど、しばしば「伏線」として捉えられる。たとえば『新しい国語１　教師用指導書　研究編㊦』(東京書籍) は、「回想場面でのエーミールの言葉、『けっこうだよ。』(165・14) と重なり合う表現。『友人』が思い出した体験の内容を暗示する伏線になっているともいえる」と書いている。

(９) SNSにたとえれば、後半は「僕」公式の「中の人」が「私」ということになるのだろう。後半が「私」による語り (直し) だと捉えるのは、「中の人」の機能について考えるということのように思われる。このときは、それを通して、SNSがどういう性質のメディアかということが論の射程に入るだろう。一方、「中の人」を意識しつつも、「僕」公式は「僕」からの発信ということになっているのだから、そういうものとして楽しもうというのが、後半は「僕」が語っているという考え方なのではないか。このときは、

「僕」のフォロワーとして、そのメッセージから「僕」の像に膨らみを与えていくということになる。教材として「少年の日の思い出」が教科書に掲出されていることを前提とすれば、中学校１年生では、正確さの精度を競うよりも、どちらにどの程度比重を置くかということを学習計画の中において判断すべきかと思われる。

(10) 宮崎ひかりの挿絵を掲載している三省堂は、『現代の国語　1　学習指導書　教材研究と学習指導　下』において、「図版」という項目を設け、画家名を記載するとともに各挿絵を解説している。意欲的な試みと高く評価されるべきであろう。

参考文献

田中実・須貝千里編『「これからの文学教育」のゆくえ』(2005・7、右文書院)

野中潤「この教材に『語り手』はいますか？——臆見としての学習用語、学術用語——」(『日本文学』第66号、2017・1)

『国文学　解釈と鑑賞　特集　近代文学と「語り」Ⅱ』(第59巻４号、1994・4)

第2章

ヨーロッパ美術における「擬人像」と「美徳」

吉田　朋子

（美術史学）

「人にしてもらいたいと思うことは何でも、あなたがたも人にしなさい」。新約聖書に登場するイエス・キリストの教えである。これとよく似ているのが、『論語』での孔子の言葉で、「己の欲せざる所は、人に施すことなかれ」だ。同じようなことを言っているようだが、行動せよと説くのか、あるいはするなと説くのか、ベクトルは正反対だ。

行動することが推奨されていることとも関係あるのだろうか、キリスト教圏の美術では、美徳や善行が表現されることが多い。たとえば教会には、美徳が悪徳を踏みつける様を表した彫像が見られることがある（図1）。日本のお寺で邪鬼を踏む仁王に似ているが、これらは神のような存在ではなく、美徳という抽象的な概念を人間の姿で表したものだ。本章では美徳がどのように表現されてきたのか考えることを通じて、ヨーロッパ美術で受け継がれてきた「擬人像」の歴史をたどってみたい。

図1　マルヴィル撮影《悪徳を倒す美徳（ストラスブール大聖堂、13世紀末）》1853年　銀塩写真　33.2×24.2cm　ワシントン・ナショナル・ギャラリー

1．ヨーロッパ美術に見られる擬人化

（1）リーパの「再発見」

図１の彫刻では踏んでいるだけだったが、美徳が悪徳を退治する主題としてはもっと派手に取っ組み合っている「プシコマキア」（魂の戦い）もある。これは、５世紀初めの宗教詩人プルデンティウスの著作が元になっている。「信仰」対「偶像崇拝」、「純潔」対「情欲」、「忍耐」対「憤怒」……といった形で、様々な美徳が悪徳と対決して粉砕するというものだ。「見よ、第一に異教の古代神崇拝が力を結集しわれらの信仰の挑戦に対抗して思い切りぶつかってきた。信仰の乙女は高く跳び上がって、額にバンドを締めた敵の頭をしたたかに叩き、獣の肉と血で満足した敵の口を砂塵の中に押し倒し、敵の目を足で踏みつけて圧死させた……」[1] と、テキストですら血なまぐさい。

18世紀以前のヨーロッパ絵画に、しばしば登場するのがこの「擬人像」である。抽象的な概念や自然物を人間の姿として表したものだ。神話や聖書、歴史上の重大事件を表す「物語画」、なんらかの高度なメッセージを読み取らせる「寓意画」では、擬人像が多用される。

教会では宗教的な美徳が表現されるが、王の宮殿となると、君主としての徳を示さねばならない。フランスのヴェルサイユ宮殿では、七つの惑星と神々が王に授ける徳が装飾計画の源泉である。たとえば「＜ディアーヌ（ディアナ）＞は航海と狩に関する徳、＜マルス＞は戦争における勇気や武勲、＜メルキュール（メルクリウス）＞は学芸・科学を振興する徳……」[2] といった具合である。ヨーロッパはキリスト教世界だが、このように「異教」のギリシャ・ローマの神々が美術に取り込まれている。そこに様々な擬人像が加わるので、必然的に人物だらけのにぎやかな絵画が発生する。

しかし、擬人像を駆使した絵画は一般人にとっては難解すぎる。この事情は

昔のヨーロッパでも変わらなかった。ヴェルサイユ宮殿でも、17世紀から18世紀にかけて、何度もガイドブックが出版されている。たとえば、有名な「鏡の間」天井画はルイ14世の様々な功績を讃えたものだが、王を含め実在の人物を多くの擬人像が取り巻いている。これらが丁寧に解説されているのだ。「(王の足元には) 座って薔薇の冠をつけた「平安」がいる。片手は無造作に頭を支え、もう片方の手にはザクロを持っている。ザクロは君主の権威のもとでの民衆の団結の象徴である (……)」[3] といった文章が延々と続く。

象徴や擬人像を駆使した寓意のメッセージは、約束事を知らないと解読できないものである。先に紹介した解説文の中にザクロが出てきたが、無数の小さな種が一つの実の中におさまった姿をしているので、一致団結を表すのだ。ザクロは比較的分かりやすい象徴だが、近代美術の展開とともに、マニアックな擬人像の知識は失われていった。それらを解読するための秘密の鍵となる書物を「再発見」したのは、フランスの美術史学者エミール・マール (1862–1954) だった。博学無双、まさに「レジェンド」の学者である彼がその時まで知らなかったのだ。いかにこの伝統が忘却の淵に沈んでいたかということを示しているだろう。

マールは、1927年の論文の中で、いかにしてその「再発見」に至ったのか、克明に述べている[4]。イタリアで作品を調査していた際、彼は意味の分からない擬人像に出くわして戸惑う。たとえば、「忠誠」の擬人像が犬を連れているというような図像は簡単に理解できる。犬は主人を裏切らない、ゆえに忠誠の印になる、というのは大変分かりやすい理屈だ。しかし、イタリア・バロックの大彫刻家ベルニーニによる彫像《真理》(1646–1652年、ボルゲーゼ美術館) は、手に光線を発する太陽のようなものを持ち、球体を足で踏む裸体女性である。一体これはどういう意味なのだろう。しかも、妙に持物が一致する同じような像を他の作者も制作しているのだ。

《真理》だけではなく、他にもよく分からない物を持った像に多々出くわす。様々な事例を観察した結果、彼は、これらの約束事が口承で受け継がれたとは考えられないと判断した。芸術家たちは共通の書物、事典のようなものを持っていたはずだと確信するに至る。あとは、その書物を見つけるだけだ。そして、発見の時が訪れる。ローマの元イエズス会図書館で、マールは、ある本を散漫にめくっていた。すると、そこにまさに《真理》の像の図版（図2）が現れたのであった。しかも、なぜ「真理」がそのような姿なのか、説明までも記されていた。

図2　リーパ『イコノロジーア』1603年版より《真理》

「全裸の姿で表わされるのは、真理にとっては単純な明快さこそがふさわしいことを示すためである。（中略）彼女が太陽を手にしているのは、真理は光の親友であることを示すためである。（中略）足で踏みつけられた地球は、真理は世界のいかなる事物であろうと、その最も高価なものよりも上位に位置することを示している（後略）」[5]。この本こそが、チェーザレ・リーパによる『イコノロジーア』であった。

それでは、これらの擬人像は一体どのようにして出来上がってきたのだろうか[6]。さきほどの引用文だけを見るとずいぶんと恣意的でこじつけではないかという印象を持たれた方もいるだろう。しかし、リーパは自分勝手に発明したというわけではなく、様々な文献や遺物を調査したうえで、この書物をまとめているのである。

擬人像の伝統は、古典古代と呼ばれるギリシャ・ローマの文明に遡る。もともと人の姿で様々な概念や自然現象を表現するという方法を案出したのはギリシャの人々であり、それをローマ人たちが受け入れた。ヨーロッパがキリスト教世界になってからも、擬人像という遺産は引き継がれた。古典古代の文献や、コインやメダルなどの遺物を参照し、キリスト教の象徴も取り込みつつ、図像体系が発展していったのである。16世紀にはマニュアル的な書物までもが出現するようになる。

あまたの擬人像や寓意のマニュアル本の中でも最も広く流布したのが、リーパの編んだ『イコノロジーア』である。リーパは、先行する著作を大いに参考にしつつ、古典古代の文学やエジプト学、キリスト教神学などを渉猟して様々な概念をいかに図像化したらよいか、またどのような実例があるのかをまとめたのである。1593年に初めて出版された際にはラテン語で書かれ、しかも文字だけだったが、1603年に挿絵入り版が出る。その後、項目や挿絵の数を増やした諸版や各国語版が現れた。イタリアで最後に出版されたのは1764年から1767年にかけて出た５巻本である。

この最後の版や、リーパを下敷きにしたブダール『様々な著作から引用したイコノロジー』(1759年、1766年)、グラヴロとコシャン『イコノロジー・寓意学概論』(1791年) といった18世紀のマニュアルでは、説明文が非常に短くなっている。手軽に擬人像を調べたり制作したりするための便利な手引きという側面が強くなっており、かつてリーパの著作が前提としていた該博な人文学的教養の重要性が低下していることを如実に感じさせる。

その後、19世紀に入ると、急速に擬人像の人気は低下していった。擬人像や寓意そのものが消滅したわけではない。1886年に完成したニューヨークの《自由の女神》も擬人像だ。圧倒的な古典の教養に裏打ちされた複雑で難解な寓意が消えていったのだ。こうして作品制作の現場では擬人像マニュアルはすっかり用済みとなってしまったが、図像学 (イコノグラフィー)、そして図像解釈学 (イコノロジー) は、イメージの読解を行う美術史学の一分野となっている。

（2）イメージの力

美徳や悪徳、あるいはそれらの葛藤というのは、とても抽象的な問題である。特に関心を持ち、書物を読んだりするならば、考察を深める機会もあるだろう。しかし、文字を読むのがあまり好きではなければ、改めて考えてみたりはしないかもしれない。しかし、そのような場合でも、魅力的な図像があるとしたら、事情が変わるのではないだろうか。繰り返し見るイメージは人の心に強く働きかける。

キリスト教は、偶像崇拝を禁じるユダヤ教の改革運動として発生した宗教だが、人物像が盛んに表現された地中海世界で展開したこともあって、イメージを積極的に利用するようになった。ローマ教皇の大グレゴリウス（540頃-604）が6世紀末に、「絵画では、文字を知らない人々が、書物で読むことができないことを、見ることによって読むことができる」と主張していることは良く知られる。この考え方は脈々と受け継がれていった。1492年に出版されたドミニコ会修道士の説教は、大グレゴリウスの言葉を引用しつつ、画像の効能を三つ挙げている。つまり、絵を見て学ぶことができること、耳で聞いて信仰心を動かされない人でもまるで動くような絵を見ると心を動かされること、多くの人は聞いたことを覚えられなくても画像を見ると覚えられるので記憶に役立つことだ(7)。

16世紀に入り、宗教改革に直面したカトリック教会は、プロテスタントに対抗して勢力を盛り返すために大規模な自己改革に取り組んだ。これを「カトリック改革」と言うが、その中ではイメージの力が最大限に利用された。プロテスタントは聖書のみに依拠する信仰を主張し、宗教的な画像を偶像崇拝と考える。カトリック側は、トレント公会議を1545年から1643年まで開催し、第25回総会で「聖人の取次ぎと崇敬、聖遺物、聖像に関する教令」を議決して、美術作品を積極的に活用していく方針を明確にした。この結果、教義に忠実でありながらも感情に強く訴えかける作品が生まれるようになる。特に、聖母マリアが盛んに表現された。日本も含め、世界中への布教において優しい聖母の姿は大きな影響力を持った。難しい教義が完全に分からなくても「母」という根源的なイメージが人々に訴えかけたことは容易に理解できる。かくれキリシタンたちが、仏教の観音像を「マリア観音」として伝えてきた例もある。生命の危険を冒しながら信仰を守る時、イメージは大きな支えになったことだろう。

さらに、イメージは世俗的な学習にも用いられていた。古代に誕生し、17世紀まで活用されてきた「記憶術」はその力を最大限に引き出したものだ。記憶術の始まりは、詩人シモーニデース（紀元前556頃-468頃）の経験だと言われる。彼がある屋敷で宴席に出ていた時に、建物が倒壊する事故が起こった。たまたま外に出ていたために難を逃れたが、誰がどこに座っていたか視覚的に記憶していたため、すらすらと身元確認をすることができたのである。ここから、仮想的な場所を詳細にイメージし、そこに大量の情報を紐づけて記憶する方法が編み出された(8)。

子供向け教育に関しては、コメニウスの『世界図絵』(1658年)が視覚的な教材のパイオニアとして有名だが、フランスの王族の教育でも、学習カルタや切り離した地図が使われていた。幼くして即位したルイ14世のために考案されたカルタが伝来している。1644年の制作なので、当時王は6歳である。世界の各地域、フランス歴代の王など、4セットがあり、図像の下に短い解説が付されている。たとえば、「アジア」であれば、2頭の象がひく凱旋車に乗った擬人像の下に、「東に位置する、世界の第3番目の地域。温暖な場所と寒冷な場所がある(……)」という具合である(図3)(9)。

図3　ステファノ・デラ・ベッラ《アジア》1644年　エッチング・紙　8.6×5.3㎝　プティ・パレ／パリ市立美術館

現在の私たちは、パソコンやスマホで検索することにすっかり頼ってしまい、記憶の外部化が著しい。しかし、学習参考書やドリルの多くが挿絵や図解に彩られていることを考えてみると、知識の理解や記憶のためにイメージが活用されていることは今も変わりがないといえるだろう。

2.　美徳の擬人像

(1)キリスト教の「七つの美徳」

やや遠回りしてきたが、改めて、美徳とはなんだろうか。すでになんらかの徳を日頃から心がけている人も多いだろうし、社訓や校訓といった形で親しんでいる場合もあるだろう。リーパの『イコノロジーア』でも、「協和」「謙虚」「寛大」「慈悲」「率直」「熱意」など、美徳と考えられる項目が数多く挙げられている。

数々の徳がある中で、キリスト教では七つの美徳がまとめられている。すなわち、三つの対神徳：信仰（ラテン語ではFides, 英語ではFaith）、希望（Spes, Hope）、愛（Caritas, Charity）、そして、四つの枢要徳：賢明（Prudentia, Prudence）、正義（Justitia, Justice）、節制（Temperantia, Temperance）、勇気（Fortitudo, Fortitude）である。

「対神徳」は、人間の努力によって得られるものではなく、神から人間の心に注入されるものだと考えられている。新約聖書『コリントの信徒への手紙一』13章13節等から、キリスト教の徳として位置づけられた。パウロは「信仰と、希望と、愛、この三つは、いつまでも残る。その中で最も大いなるものは、愛である。」と説いている。「たとえ、預言する賜物を持ち、あらゆる神秘とあらゆる知識に通じていようとも、たとえ、山を動かすほどの完全な信仰を持っていようとも、愛がなければ、無に等しい。」と言うように、三つの徳の中でも愛は別格扱いだ。『マタイによる福音書』22章では、「『心を尽くし、精神を尽くし、思いを尽くして、あなたの神である主を愛しなさい。』これが最も重要な第一の掟である。第二も、これと同じように重要である。『隣人を自分のように愛しなさい。』」として、神への愛と、人間への隣人愛という、愛の二つの形を明確に教えている。

「枢要徳」の方は、ギリシャのプラトン（紀元前427頃-347）が『国家』第4巻第3章で、四つの美徳を挙げたことを引き継いでいる。しかし、内容的にはキリスト教的に解釈し直された。「賢明」は、ギリシャでは共同体の利益を図る徳であったが、神に仕える道において現実を見分け、判断を下し、行為を決断することとなる[10]。「正義」はギリシャでは自己と他者の不正を許さないことであったのが、自分自身が不正を犯さず、他者の不正に愛で打ち克つこととなった。「節制」は放縦と鈍感のどちらの両極端にもよらない中庸であったものが、厳しい禁欲の徳となった。「勇気」は戦場において敵を打倒する男らしさであったが、迫害や不正に屈しないことへと変化する(11)。

このように、異教の古代思想をも深く研究して取り入れながらキリスト教の教義は発展してきた。ヴァティカン市国の教皇宮殿「署名の間」にラファエロによる壁画《アテネの学堂》があることを知っている人も多いだろう。その中心ではプラトンとアリストテレスが語り合っている。なぜカトリックの総本山に異教の哲学者たちが勢ぞろいした様子が描かれているのか、一見不思議な気もするが、「枢要徳」までもプラトンが起源だということを知ると納得がいくのではないだろうか。

(2)「愛」と「勇気」の擬人像

では、様々な美徳はどのような擬人像としてあらわされるのだろう。前項の七つの美徳から、「愛」と「勇気」について、リーパの『イコノロジーア』を確認してみたい。この二つは現代のアニメの主題歌等にもよく見られ、比較的なじみがある組み合わせだろう。実は、どちらも女性の姿で表現される。寓意像の多くは女性の姿を取るが、これはラテン語では、抽象概念が女性名詞であるからだ。なお、「愛」は「慈愛」、「勇気」は「剛毅」とも呼ばれるが、同義である。

まずは、キリスト教の美徳の中で最も重要であり、数ある擬人像の中でも、おそらく最もよく親しまれている「愛(慈愛)」である(図4)。3人の子どもを世話する女性の姿で表される。彼女の頭には炎がゆらめいている。慈愛に関する説明文は長いが、一部引用すると、「彼女が片手に燃える心臓をもち、腕に子どもをかかえた姿で描かれるのは、慈愛とは神と被造物に対する、魂のうちの純粋で燃

図4　リーパ『イコノロジーア』1603年版より《慈愛》

えるような愛情であることを示すためである」(12) と述べている。挿絵では心臓は持たず、燃えているのは頭頂部だが、頭の炎は神への愛、子どもの世話という行為は人間に対する隣人愛を示していると解釈できるだろう。また、図版は白黒だが、彼女の衣は血の色に似た赤い色である。

図5　リーパ『イコノロジーア』1603年版より《剛毅》

続いて、「勇気（剛毅）」を確認してみよう（図5）。これは武装した凛々しい女性の姿である。「武装した女性で、淡黄褐色の衣服をまとっている。この色が剛毅を意味しているのは、ライオンの色に似ているからである」「右手に槍と樫の枝を握っている。左腕に楯をかかえており、その中央には猪と戦っているライオンが描かれている」「武具は身体の剛毅を示し、樫は魂の剛毅を示すからである」等と説明される。植物として樫が選ばれる理由については、嵐に対する抵抗力で最も有名なものであり、水にも強いために建築材として有用で、きわめて重い負荷にも長く耐えるからだとされる(13)。

実はリーパの記述は非常に長く、様々な文献の引用や、関係する美術作品の説明などが含まれる。ここでは、挿絵に直接関わる部分を短く引用するにとどめた。また、付された挿絵は非常に有用だが、必ずしもそれが最もよく使用されてきた図像というわけではない。たとえば、「勇気（剛毅）」については、リーパの挿絵では槍と樫の枝を持

図6　ルカ・ジョルダーノ《剛毅》1682-1685年　フレスコ　メディチ・リッカルディ宮殿「鏡の間」

つ姿だが、これを使う芸術家はむしろ少数派だ。挿絵にはないが、説明文には「柱に寄りかかる」というオプションも提示されており、むしろこちらのほうが画家や彫刻家に盛んに採用されている。ただし、必ずしも寄りかからず、ある程度自由にアレンジもされる。（図６）でも、「勇気（剛毅）」の擬人像は、柱の上に乗っている。

３．「愛」と「勇気」の行い

美徳を表現する方法は擬人像だけではない。擬人像は様々な情報を圧縮した姿で印象的ではあるのだが、やはり理念的なイメージだ。現実の人間を描いた方が、より親しみやすい。そもそも、美徳はどのように実践したらいいのか、具体的に示してもらえれば実行に移しやすくもあるだろう。

キリスト教においては、根源的には、イエス・キリストの生涯や行動そのものが「愛」と「勇気」の体現である。さらに、カトリックでは、特に信仰に秀でた人々を聖人として崇敬しており、彼らの姿も模範となる。聖人に関する伝説を集積した著作がヤコブス・デ・ヴォラギネの『黄金伝説』（13世紀末に成立）[14]である。この書物には、リアリティあるのものから超自然的なものまで、様々な話が集められている。

「愛」の行いを示した聖人として繰り返し表現されてきたのが「聖マルティヌス」（図７）である。マルティヌスはある冬の日に、馬で市門を通る時に裸の物乞いに出会う。誰一人施しを恵む人がなく、自分が与えるしかないと考えたが、渡せるものがない。そこで、剣を抜き、着ていたマントをふたつに切って、一つを与え、残りを自分が着た。その夜、夢枕に半分のマントをまとったキリストが立ち、周りの天使たちに「このマントをわたしに着せてくれた」と語ったという。絵画や彫刻に表現されるのは、もちろん、馬上の騎士が剣を取ってマントを切るといういかにも颯爽とした仕草だ。ただし、実際のマルティヌスは風采の上がらない人物だったと黄金伝説は伝えている。

図8　ヴァランタン・ド・ブーローニュ《聖ラウレンティウスの殉教》1622-1624年　油彩・布　195×261㎝　プラド美術館

図7　エル・グレコ《聖マルティヌス》1597-1599年　油彩・布　193.5×103 cm　ワシントン・ナショナル・ギャラリー

「勇気」に関しては、殉教聖人たちが模範となる。生命を賭して信仰を守るのは最高の「勇気」の表現だからだ。中でも、その様子が際立っていた聖人が「聖ラウレンティウス」（図8）だ。彼は偶像崇拝を拒んだために拷問されて殉教するのだが、石炭で熱せられた火格子の上に寝かされて焼かれたということだ。黄金伝説は、その殉教方法が他の方法に比べていかに苦しいものかを力説する。しかも、ラウレンティウスは豪胆で、「片面はよく焼けましたから、もう一面を焼いてお召し上がりください」と冗談まで飛ばした。このユーモアゆえに、彼はコメディアンの守護聖人ともなっている。

また、古代史の中の傑出した人物が取り上げられることもある。ガイウス・ムキウス・スカエウォラは、共和政ローマ初期の伝説的な英雄で、キリスト教がまだ存在しない時期に生きたが、ピエトロ・ダ・コルトーナの大天井画《神の摂理》（1632–1639年、パラッツォ・バルベリーニ）には、彼の「勇気」ある振る舞いが描きこまれている。広く親しまれたワレリウス・マクシムスの『著名言行録』(紀元30年頃) に述べられている話である。スカエウォラは、ローマがエトルリアの王ポルセンナに包囲された際に、単身乗り込んで王の暗殺を図るが、顔を知らないために別人を殺してしまう。火あぶりの拷問を受けることになったが、率先して松明を取り、暗殺に失敗した自分の右手を焼いて見せた。ローマ人の勇敢さを恐れたポルセンナは和議に応じたという。造形化される際には、スカエウォラが右手を平然と火に突っ込む様子が選ばれる。

本章第1節で、「信仰」が「偶像崇拝」を虐殺する様子を見た我々は、ローマの英雄、つまり異教徒がキリスト教的美徳の範例になっていることに驚いてしまう。しかし、カトリック改革期のモラヌスの著作『聖像と聖画像の事績について』(初版1570年、増補版1594年) に見られるように、異教の物語であっても道徳的であれば、有用性が認められるようになった。いかに、ヨーロッパの文化が古典古代の著作を重んじたかが理解できるだろう。

以上挙げてきたのは、特別な人々を取り上げて模範とする考え方だったが、さらに、普通の人々が良い行いをしている様子を描くという方法もある。『マタイによる福音書』25章は、イエスの言葉として「キリスト教徒が最後の審判で永遠の救済を得るために励むべき善き行い」を教えている。すなわち、「飢えたものに食べさせる」「渇くものに飲ませる」「旅人に宿を貸す」「着るものを与える」「病人を見舞う」「囚人を訪問する」である。12世紀末には、これらに「弔う者のいない死者を葬ること」を加えて、七つの善行を「身体的慈悲の七つの業」とする伝統が定着した。さらに、「精神的慈悲の七つの業」も確立する。こちらは、トマス・アクィナス『神学大全』等に述べられている行為で、「教える」「助言を与える」「訓戒する」「慰める」「ゆるす」「忍耐する」「人のために祈る」である(15)。

身体的な七つの慈悲の行いを描いた図像として良く知られるのがピーテル・ブリューゲル(父) の版画である。彼は七つの美徳について連作版画を制作しており、そのうちの《慈愛》(図9) には、擬人像と慈悲の七つの行いの両方が表現されているのだ。中央の擬人像は、神の愛を象徴する燃える心臓を持っており、隣人愛の行いとして、子どもに優しく接している。リーパの記述とかなり似た表現となっていることが分かる。ただし、頭の上には炎ではなく、鳥のペリカンがとまっている。ペリカンは、自分の胸をつついて出た血で幼鳥を養うという伝承があり、「愛」の象徴なのである。

図9　ピーテル・ブリューゲル（父）原画・ハレ版刻《（七つの美徳連作より）慈愛》 1559年　エングレーヴィング・紙　26×33.6cm　メトロポリタン美術館

擬人像の周囲には、七つの慈悲の行いに励む人々が見られる。版画の銘文には「他人に振りかかることは自分にも振りかかるものと考えなさい。正にこうして、逆境の中で本気で助けを求める人の心を理解した時、初めて（その人を）助けようという気持ちをかき立てられるであろう」(16)とある 。

ちなみに、「勇気」については、教義の中で「愛」のような七つの行いが決められているわけではない。ブリューゲルの連作版画を確認すると、中央の擬人像とともに、七つの悪徳と取っ組み合って戦う人々の姿が表現されている。銘文には「激情を克服し、怒りを抑え、そのほかの悪徳や情念を抑えること、これこそ真の剛毅である」(17)と述べられている。殉教などとは無縁の一般人の場合、「勇気」の視覚的な表現は心の中に巣くう悪徳との戦闘ということになるようだ。

ブリューゲルから200年以上後、フランスで描かれたグルーズ《慈愛の女性》(図10)で本章を締めくくることにしたい(18)。この作品が描かれた18世紀、ヨーロッパは近世から近代への移行期であった。長らく築かれてきた伝統的な価値観が少しずつ揺らぎ、視覚芸術も影響を受けて変化していく。絵画の世界でも、寓意や擬人像を多用する歴史画よりも、目に見える現実と向き合う風俗画や肖像画といった分野に、真に独創的な才能が現れた。グルーズも、人々の様々なニーズに敏感に反応しながら制作した画家である。

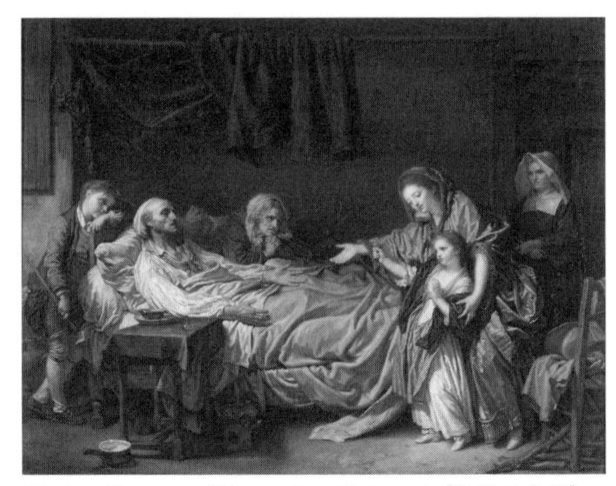

図10　ジャン＝バティスト・グルーズ《慈愛の女性》1775年　油彩・布　112×146㎝　リヨン美術館

場面は粗末な部屋だ。小さな少女が母親らしき女性に優しく促され、ベッドに横たわる年老いた男性と女性に向かって、右手を伸ばしている。施しがはいった財布を渡そうとしているのだ。老人は、大きく両手を広げて、厚意を受け取ろうとし、老女は手を組んで感謝の意を表している。画面左手には、少年がベッドによりかかりながら場面をながめている。画面右側にはやや険しい面持ちの修道女が立ち会っている。写真では見づらいが、ベッドの上の壁には剣が吊るされ、棚には書籍があり、この老人が身分、教養ともにありながらも困窮状態に陥っていることが示されている。裕福に育った少女が、初めて貧しい暮らしを目にして不安になっている様子を巧みに表しているのも見どころである。

作者のグルーズは、見る者の感情に訴えかけるような感傷的で道徳的な絵画で一世を風靡した。ただし、本作品は、グルーズの一連の道徳画の中では少し異色だ。彼は家族をめぐるドラマを描くことが多いのだが、ここでは、家族ではない他人に対する隣人愛がテーマになっているからだ。

作品タイトルは、フランス語ではLa Dame de charité、ラ・ダム・ド・シャリテである。日本語にあえて訳すとすれば「慈愛の女性、あるいは、慈善婦人」ということになる。前者ならば隣人愛あふれる女性という意味であろうが、後者ならば、18世紀のパリで小教区ごとに組織された婦人たちの組織やそのメンバーを指す。彼女たちは、貧しい人々に集めた募金を届ける活動をしていた。つまり、その活動に自分の娘を参加させて、富に恵まれた人間の義務を教えようとしている母親を描いているということになる。

本作品は1775年にルーヴル宮殿の中にあった画家の工房で展示された。大きな話題を呼び、文筆家たちが感想を述べた雑誌記事などが残っている。これらの記述には、ある傾向が認められることが指摘されている。それは、キリスト教的なcharitéという言葉ではなく、組織的な慈善を表すものとして比較的新しく使われるようになった言葉bienfaisantが使われているということだ。しかも、1778年にこの絵画の複製版画が制作された際に、タイトルがLa Dame bienfaisante（施しをする女性）と変更された。ここには、困っている人を助けるという行為が、キリスト教的な意味を次第に減じて、社会福祉という近代的な制度に移行していく状況が反映していると考えられるのだ。

18世紀後半のヨーロッパでは、宗教や君主制が作り上げた制度が解体へと向かっていく。もともとキリスト教的な隣人愛から出発した慈善的な活動が変化していくことに現れているように、社会の仕組みが変わる。知的活動においては、古典古代の人文学的な教養の重みが低下する一方で、近代哲学・科学が急速に発展していった。このことは、リーパ『イコノロジーア』の再版や類書において、記述が非常に簡便化したことにも現れている。このような時期に描かれたグルーズの作品は、擬人像の教養がなくとも理解できるようになっている。しかし、あらためて中央の女性を見てほしい。ことさらに古代風の衣装を着けている。娘を優しく誘う様子は、かつての《慈愛》の擬人像とよく似ている。ここには長い視覚的伝統が「冷凍保存」されているのではないだろうか。

引用文献

本文中、聖書の引用は日本聖書協会『新共同訳　聖書』1987年によった。

（1）プルデンティウス『日々の賛歌・霊魂をめぐる戦い』家入敏光訳、創文社、1967年、pp.217-218.

（2）中島智章『増補新装版　図説　ヴェルサイユ宮殿』河出書房新社、2020年、p.64.

（3）Pierre Rainssant, *La Grande Galerie de Versailles et les deux salons[...]*, 1753, Paris, p.6.

（4） Émile Mâle, 《La Clef des allégories peintes et sculptées》, *La Revue des Deux Mondes*, 1er et 15 mai 1927, pp.106-129.

（5） チェーザレ・リーパ『イコノロジーア』伊藤博明訳、ありな書房、2017年、pp.389-390. この邦訳は初めて挿絵の入った1603年版を底本としている。

（6） ファン・ストラーテン『イコノグラフィー入門』鯨井秀伸訳、ブリュッケ、2002年、pp.46-58.

（7） マイケル・バクサンドール『ルネサンス絵画の社会史』篠塚二三男ほか訳、平凡社、pp.78-79.

（8） 桑木野幸司『記憶術全史』、講談社、2018年。

（9） https://collections.louvre.fr/en/ark:/53355/cl020596529（2023年６月13日アクセス）

（10）『新カトリック大事典』第３巻、研究社、2002年、pp.493-495.

（11） 島田四郎『西洋倫理思想史』、玉川大学出版部、1985年、p.57.

（12） リーパ、前掲書、pp.74-75.

（13） リーパ、前掲書、pp.146-147.

（14） ヤコブス・デ・ヴォラギネ『黄金伝説』1～４巻、前田敬作ほか訳、平凡社、2006年。

（15）『新カトリック大事典』第2巻、p.1275.

（16） 展覧会図録『ピーテル・ブリューゲル全版画展』ブリヂストン美術館他、1989年、p.139.

（17） 前掲図録、p.142.

（18） Emma Barker, *Greuze and the Painting of Sentiment*, Cambridge University Press, 2005, pp.177-204.

参考文献

ジャン・ヤズネック『神々は死なず』高田勇訳、美術出版社、1977年

木村三郎『西洋近代絵画の見方・学び方 (放送大学叢書)』、左右社、2011年

若桑みどり『イメージの歴史』、筑摩書房、2012年

深谷訓子『ローマの慈愛』、京都大学学術出版会、2012年

伊藤博明『ヨーロッパ美術における寓意と表象：チェーザレ・リーパ「イコノロジーア」研究』、ありな書房、2017年

第3章

洋食文化の受容と漢字翻訳語の役割

朱　鳳
（中国語学）

レストランのメニューやスーパーマーケットの棚に陳列されている商品を見ると、日本人の日常生活の中に洋食がかなり浸透していることがわかる。ところで、洋食がなぜその名前で呼ばれているのかについて、あまり考えたことがないのではないだろうか。実は、洋食は明治期の文明開化をきっかけに、西洋の科学、宗教、思想など様々な新しい文化と一緒に怒濤のように日本に流れ込んできた。それを受け入れるために日本語に新しい漢字語彙が大量に生まれた。食品メーカー、ハウス食品が発売しているレトルトカレーのパッケージにある「咖喱」や、麒麟麦酒株式会社という会社名にある「麦酒」の表記はその時代の名残である。現代の日本語において、洋食や素材の名前はカタカナで表記するのが一般的である。「バター、パン、ワイン」などが例として挙げられる。しかし、これらの洋食、素材名の最初の日本語表記は「牛油、麺包、葡萄酒」であった。時代と共にこれらの漢字表記は徐々にカタカナに取り替えられていく。一方、メーカーが商品の伝統性を強調するために、わざと漢字で表記するケースもしばしばみられる。

本章は明治期に日本で翻訳された初期西洋料理本『西洋料理通』（1872）、『月刊食道乐』（1905）を第一資料に、同時代に日本で出版された英華字典、西洋文化関連書物も比較資料として使いつつ、漢字翻訳語という視点から、日本語の中の洋食用語がどのように創り出されたかを検討することによって、東西文化の融合における漢字の役割について考えていく。

1．洋食事始め

（1）洋食との出会い

1861年（万延元年）福沢諭吉（1835―1901）は遣米使節団の一員として咸臨丸に乗ってアメリカへ出発した。滞在中にサンフランシスコで中国人がつくった中国語―英語字典『華英通語』を購入し、日本に持ち帰った。帰国後に早速日本語を付け加え、『増訂華英通語』を出版した。その書物の中に「食物類」[1]という一節があり、洋食名、材料名がかなり収録されている。西洋の料理名が載っている書物としてはかなり先駆的な存在と考えられる。例えば、「Butter（ボッタル）　牛油（ボートル）」「Cream（キリーム）　牛乳（ウシノチチ）」「Grape wine（グレーブ　ウァイン）　葡萄酒（ブダウシュ）」のように、英語、中国語という順で並べている。英語の上のルビは読み方を示し、中国語の上のルビは日本の意味を示している。また、「Cheese（チース）　牛奶餅」「Custard（コスタルド）　吉時」のように英語の読み方はついているが、日本語の意味は書いていないものがある。恐らく、福沢も出会ったことのない洋食名に困っていただろうと想像できる。

つまり、多くの日本人は洋食そのものと出会う前に洋食名と先に出会ったと言える。また、このような書物を通して、洋食名の漢字翻訳語も日本に伝わったこともあって、前述のように明治から昭和初期までに洋食名の漢字表記はかなり使われていた。

ついに1872年（明治５年）になると、西洋料理を紹介する最初のレシピ本『西洋料理通』が出版された。編者はかの有名な仮名垣魯文（1829―1894）である。本書は全部で三冊あり、巻一、巻二と巻三（後編）である。文面は努めて口語に近いことばを使用しようとしているが、やはり漢文調となっている。凡例によると、もともと横浜在住のイギリス人が日本人のコックのために作った英日レシピ本を日本語のみのレシピに編集し直し、出版したものである。そこでは、翻訳語の表記に関して独自のルールを決めている。それは次の４点にまとめられる。

1）英語を漢字に翻訳する場合、その傍訓に俗語を使用する。

2）目次にカタカナで英語の音声を記すが、本文では漢字に訳す。（例えば、「スープ」を「吸物」、「キウコンフル」を「胡瓜」、「マカロニー」を「素麺」と訳している）

3）一部の単語の訳語が長くなるため（例えば、「ボートル（butter）」を「牛の乳にして製したるもの」と訳す）、あるいは外国の度量衡が日本と違うため（例えば、「コールツ（quart）」「ハインツ（pint）」）、敢えて訳さずにする。

4）版を彫る労を省くために、省略表記を採用した（「胡蘿蔔」を「人参」、「ちようちよう」を「てふ、てう」と書く）[2]。

この説明から分かるように、原書は洋食名、素材名の多くをカタカナで翻訳したが、本書は可能な限り漢字翻訳語を使用した。しかも分かりやすくするために、漢字翻訳語に「俗語」、つまり日本語の解釈をつける。やむ得ない時にはカタカナ、つまり外来語を使う。このように、『西洋料理通』の出版により、明治初期の日本人は書物だけではなく実際にハイカラな洋食を自ら料理することができるようになった。編者の仮名垣魯文もこの本に「以て交際有用の書と成せり」と記し、料理を通して西洋人との文化交流を願っていた。このように西洋文化を受け入れる時に漢字翻訳語が重要な橋渡し役を果たしたわけである。

（2）洋食の日本社会への浸透

『西洋料理通』の出版は日本人に初めて洋食料理のレシピを紹介したが、しかしその読者はまだまだ限られていた。1905年（明治38年）から1930年（昭和5年）まで刊行された『月刊食道楽』にいたって、状況が少し変わった。創刊号の「月刊食道楽の発行」に、「近来料理の研究書物改善につき、世間其の聲高し」[3] と書かれており、20世紀初頭の日本社会において料理への関心度が非常に高かったことがうかがえる。『月刊食道楽』はこうして誕生したのである。本誌には日本料理、中華料理の他、西洋料理の歴史、逸話、レシピもたくさん載っている。一般の読者に洋食文化の普及につとめ、洋食の日本社会への浸透に貢献した。例えば、ビールに関して、このような記述がある。

> 麦酒(びいる)の根源(こんげん)は古代(こだい)フランダル（今(いま)の白耳義(べるじゅむ)）の国王(こくおう)ガンブリムスが始(はじ)めて造(つく)ったとある。
> 麦酒(びいる)の製造(せいぞう)　麦酒(びいる)の原料(げんりょう)は大麦(たほむぎ)（ハイナ。シバリツ。ゴールデン、メロンなどの種類(しゅるい)あり）と葎花(ホップ)とにある、麦酒(びいる)の味(あぢ)や香氣(かうき)のあるのは、この葎花(ホップ)の具合(ぐあい)で、葎花(ホップ)はむぐらのである、日本(にほん)では輕井澤(かるゐざは)、日光(にちかう)、に生(せう)ずる[4]。

ビールの起源と原料について述べているこの文章は、明治時代らしく多くの漢字が使われていることが分かる。また、できるだけたくさんの人に読んでもらうために、すべての漢字にルビを振っている。さらに、注目すべきことに、「麦酒(びいる)、葎花(ホップ)、白耳義(べるじゅむ)」などの外来語はすべて漢字翻訳語を使っているのである。

次の節では、『西洋料理通』と『月刊食道楽』に使われている洋食料理名、食材名に焦点を当てて、漢字翻訳語はどのように使われているか、また、出版に30年間の隔たりがある両書の翻訳語に変化があるかどうかについて考察していく。

2．『西洋料理通』にみえる漢字翻訳語

周知のように、漢字は日本語と中国語を記録するために共通の文字であるが、しかし文法や、読み方などにおいて随分違いがある。では、『西洋料理通』はどのように漢字翻訳語を駆使し、まだ洋食文化に触れたことのない明治時代の日本人に伝えたか。本書から特徴のある漢字語彙をいくつかリストアップして考察する。

（1）食器、調理道具に関する訳語

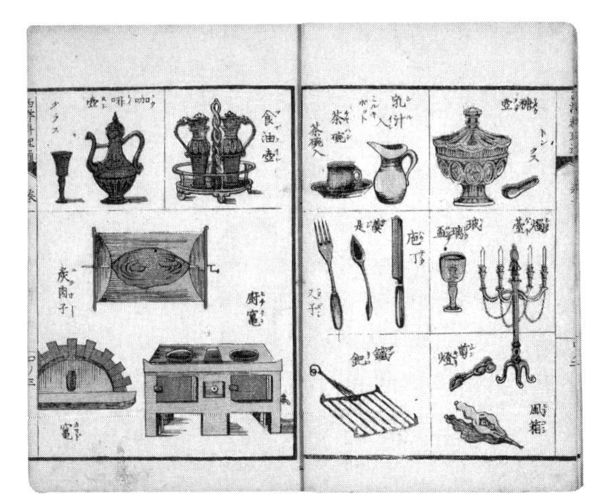

出典：『西洋料理通』早稲田大学図書館古典総合データベース

写真1

本書の最初に洋食の食器、調理道具などを紹介する挿絵がある。絵と共にこれらの道具の名称も「漢字＋カタカナ」という形で書かれている。そこに使われている訳語の多くは日本語より中国語と言った方が良いと考えられる（写真1）。カタカナの読み方をさらに分析するために、次の表を作ってみた。

表1　食器、調理道具に関する漢字翻訳語

漢語（中国語に由来する訳語）		和語に由来する訳語
①形音義をそのまま使用	燭檯（ショクダイ）、茶碗（チャワン）、庖丁（ホウテウ）	⑤敷物（シキモノ テーブルコロース）、乳汁入（シルイレ ミルキポット）食卓（メシヅクヘ テーブル）
②形義を借りて、音は和語	風箱（ヒキコシ）、厨竈（ヒチリン）、剪燈（シンキリ）、炙肉子（ニクサシ）、叉子（ニクダシ）、羹是（サジ）、肉墩（マナイタ）、酒壺（トクリ）、酒罇（トクリ）、竈（カマド）、碟子（サラ）、食油壺（アブライレ）、湯兜（スイモノイレ）、圏手椅（オシマツキ）	⑥薬味入（カストルス）、花活（ウェーシス）
③形と義を借りて、音の組み合わせは多種多様	a．鐵鈀（テツリコ）、茶瓶（チャダシ）、鐵鍋（テツナベ）、糖壺（サトウツボ） b．咖啡壺（コウヒイダシ）、玻璃盃（ヒイドロコップ） c．水甕（ミズガメ）、提籃（サケカゴ）、塩盅（シオツボ）	⑦トンクス、グラス

１）漢語（中国語に由来する訳語）

周知のように漢字は形音義という三つの要素をもっている。表１の①にあることばは中国語に由来する訳語で、形音義の三要素をすべて受け入れていることばである。つまり、形、意味、さらに音声（音読み）すべて中国語に由来する翻訳語である。面白いのはコーヒーカップとソーサーを「茶碗、茶碗入（写真１を参照）」と訳しているところである。日本人にまだなじみのないコーヒー文化の翻訳にまだ戸惑っていたことがうかがえる。

②は形と意味を借りるが音を借りないことばである。これらのことばは中国語から形と意味を借りながらも、音訓の読み方を取り入れず、和語をあてている。例えば、「風箱」を「ふうしょう（音読み）、かぜばこ（訓読み）」、「酒壺」は「しゅこ（音読み）、さけつぼ（訓読み）」と読まず、「キヒコシ、トクリ」とする。こうすることで、つまり編者のいわゆる「俗語」を付けることによって、たとえ漢字のことばを見て分からなくても、和語の解釈を通して、意味の理解ができる。

③は形と意味を借りるが、音の組み合わせは多種多様で、かなり自由である。ａ．は「漢字、音読み＋訓読み」の組み合わせという形になっている。いわゆる重箱読みである。糖壺（サトウツボ）は少し例外である。音読みの砂糖（サトウ）と訓読みの壺（ツボ）との組み合わせであるが、漢字は「砂糖壺」ではなく、「糖壺」となっている。ｂ．の読み方は外来語まじりである。「咖啡壺」の読みは、英語の音訳（コウヒイ）と和語の解釈（ダシ）を合わせたものである。コウヒイは音訳であるが、壺は「こ、つぼ」ではなく、「ダシ」つまり「出し入れ」の「出す」という意味の和語を使っている。②と同様に音訓読みではなく、和語の解釈で漢字ことばを読んでいる。ｃ．は「漢字＋訓読み」の組み合わせである。

２）和語に由来する訳語

漢字の形を借りるが、音と意味は全く和語である。⑤の「敷物（シキモノ　テーブルクロース）　食卓（メシヅクヘ　デーブル）」のように訓読みの他にさらに外来語もついている。⑥の「薬味入（カストルス）、花活（ウエーシス）」は外来語しかついていない。ちなみに、「カストルス」はcastors、「ウエーシス」はvaseの音訳である。

漢字を全く使用せず、カタカナで音訳したことばもある。⑦はそれである。

（2）洋食調理、材料に関する漢字翻訳語

『西洋料理通』の本文において、巻上は70通、巻下は40通、合わせて110通のレシピが書かれている。内容は肉、野菜、お菓子など多種多様な洋食が含まれている。訳語のルールに関して、第1節にも触れたように、目次にカタカナで英語の音声を記すが、本文では漢字に訳すことが多い。これらの訳語の一部を次の表にまとめた。

表１、表２で示しているように、『西洋料理通』は日本人になじみのない洋食関連用語は基本的に漢字翻訳語を使っている。ただこのような漢字翻訳語はそのまま使うのではなく、日本語化の工夫がいくつも施されている。たとえば②のような方法で、漢字翻訳語の形と意味を受け入れるが、より一般大衆の読者のために、和語の解釈をルビとして活用する。全体的に眺めてみると、音読みをできるだけ避ける傾向にある。訓読み、外来語などの方法を使って、できるだけ文章の通俗化に心がけていることを読み取れる。

また、表２のレシピに使われている調理、材料に関する漢字翻訳語は二種類あることがわかる。目次では外来語、本文では漢字翻訳語と使い分けている。

例えば、１）目次：第三十六等林檎露（「アップルソース」）の義

本文レシピ：此露（つゆ）を用（もち）いるには豕鳫（ぶたがん）の焼（やき）てるものに入用（いりよう）なり[5]。

２）目次：第十等綿羊汁（「モットン」スープ）の義

本文レシピ：綿羊（らしやめん）の頸肉（くびにく）五斤人参（にんじん）三本蕪菁（かぶ）二根……

３）目次：第十二等菠薐草汁（「スヒニーチ」／ほうれんそうスープ）の義

本文レシピ：菠薐草（ほうれんそう）を煮（に）て篩子（さいのう）にて水汁（みずしる）を陶（こ）して……

表２　調理、材料に関する漢字翻訳語

漢語（中国語に由来する訳語）			和語に由来する訳語	
⑧形音義をそのまま使用	レシピ本文の訳語	外来語（目次のみ）	レシピ本文の訳語	外来語（目次のみ）
	豌豆（えんどう） 素面（そうめん） 莢豌豆（きょうえんどう） 綿羊（らしあめん） 菠薐草（ほうれんそう） 牛油（ぎゅうゆう） 薄荷（はくか） 人参（にんじん） 牛酪（ぎゅうらく）	エルロトヒト マカロニ－ グリインピー モットン スヒニーチ ボートル ミント カルレット	⑪吸物（すいもの） 焼汁（やきじる） 胡瓜（きゅうり） 蕪菁（かぶ） 焼鱈（やきたら） 蒸し鰻（むしうなぎ） 麦酒（むぎさけ） 肉菓子（にくかし）	スップ、スープ ベドキドスープ キウコンブル トルニップ ベーキドコット ステーウトイール イール ミートパイ
⑨形義を借りて、音を借りず（和語）	胡蘿蔔（にんじん） 葱（ねぎ） 家鴨（あひる） 牛乳（うしのちち）	カレ ヲニヲン ドック		
⑩形義を借りて、音を借りず（外来語）	麵包（パン） 焼菓（パイ）			

１）の目次のレシピ名に漢字翻訳語に英語の音訳がついているが、レシピの本文は漢字翻訳語とその読みだけで、音訳はない。「露」はsauceの訳語であることが目次の「ソース」で示したため、本文にある「露」もたとえ「つゆ」との読みがついても、読者はこれを日本料理の「つゆ」と間違えることはない。

料理の材料になると、東西問わず同じものがたくさん存在しているため、２）のように直訳の材料名は本書に多く収録されている。洋食の材料であることを示すために目次に音訳を取り入れ、本文には漢字と読みのみ表示する。中には３）のように目次にある素材名を音訳、読みと漢字で三重表示のものもある。その目的は不明である。

さらに、表2の「レシピ本文の訳語」欄を見てみると、読者が読みやすいように、漢字翻訳語に付されている読みはほとんどひらがなで表示している。またやむを得ず、本文に外来語を使う場合、「ボートル　牛の乳にて製したる物」「コールツ　『コールツ』ハ六合強めに入る器の名なり」「パインツ　『パインツ』ハ三合強めに入るうつわの名なり」のように、説明の割り注がついている(6)。

（3）『西洋料理通』にある漢字翻訳語の由来

『西洋料理通』は日本最初の洋食レシピ本と言われているが、その翻訳の過程においてどのような書物を参考にしたかについて考察する必要がある。『西洋料理通』の前に、レシピ本ではないが、洋食用語に言及した書物2冊がある。『増訂華英通語』（1862）と『西洋衣食住』（1867）である。ともに福沢諭吉が編集したものである。次の表で3冊の本にある漢字翻訳語を比較してみよう。

表3　漢字語彙の比較

『増訂華英通語』（1862）		『西洋衣食住』（1867）		『西洋料理通』（1872）	
漢字翻訳語（ヨミカタ）	外来語	漢字翻訳語（ヨミカタ）	音訳語	漢字翻訳語（ヨミカタ）	外来語
		肉刺（ニクサシ）	ナイフ	叉子（ニクダシ）	
		花活	ウェーシス（食卓ノ上ニ置ク）	花活	ウェーシス（食事臺ノ上ニ置ク）
			グラス		グラス
		茶碗	チーコップ	茶碗（チャワン）	
		茶碗臺	ソヲセル	茶碗入	
		砂糖入	シウガルベースン	糖壺（サトウツボ）	
		砂糖挟	トングス		トンクス
		乳汁入	ミルキポット	乳汁入（シルイレ）	ミルキポット

		薬味入	カストルス	薬味入、	カストルス
		敷物	テーブル、コロース	敷物（シキモノ）	テーブルコロース
鉄鍋（テツナベ）	フラインペヌ			鉄鍋（テツナベ）	
鐵鈀（アミ）	グレッドアイルヌ			鐵鈀（テツリコ）	
玻　璃（ヒイドロジャワン）	グラース			玻璃盃（ヒイドロコップ）	
匙羹（サジ）	スプーヌ			羹是（サジ）	
風箱（フイゴ）	ベルロー			風箱、（ヒキコシ）	
酒樽（サカドクリ）	ウイヌボットル			酒罇（トクリ）	
燭檯（ショクダイ）	ケヌヅルスチック			燭檯（ショクダイ）	
圈手椅（ヲシマヅキ）	アルムチェーアル			圈手椅（ヲシマヅキ）	
黄瓜（キウリ）	コーコムバ			胡瓜（きゅうり）	キウコンブル
紅蘿蔔（ニンジン）	ケルロット			人参（にんじん）	カルレット
蘿蔔（カブラ）	ダルニップ			蕪菁（かぶ）	トルニップ
薄荷（ハクカ）	ミント			薄荷（はくか）	ミント
湯（シル　ツユ）	スープ			吸物（すいもの）	スップ、スープ
牛油（ボートル）	ボッタル			牛油（ぎゅうゆう）	ボートル
牛奶餅	チーズ			牛酪（ぎゅうらく）	
麥酒	エール			麦酒（むぎさけ）	エール
麵頭（パン）	ブレット			麵包	パン

表３で示したように、『西洋料理通』にある漢字翻訳語及び読み方、カタカナの外来語は若干違いがあるが、ほぼ『増訂華英通語』と『西洋衣食住』と一致している。さらに写真２と３のように食卓に置く食器類とその位置も全く同じである。

『西洋料理通』にある漢字翻訳語は、上記の両書物を参考にしたことが明らかである。

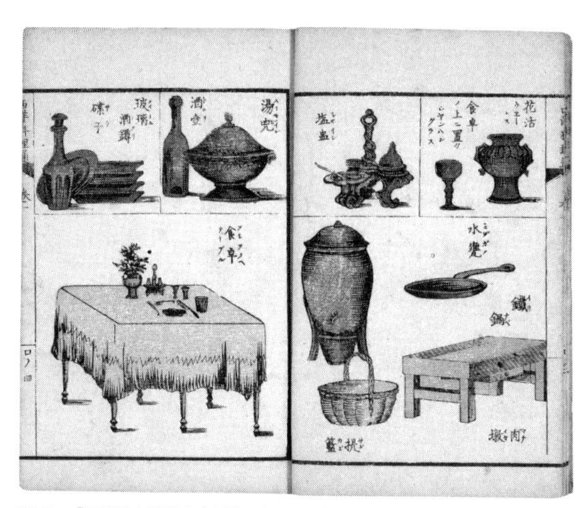

出典：『西洋料理通』早稲田大学図書館古典籍総合データベース

写真２

出典：『西洋衣食住』慶応義塾福澤研究センター

写真３

３．『月刊食道楽』にみえる漢字翻訳語

『月刊食道楽』は『西洋料理通』より30年ほど遅れて刊行された月刊誌である。主に日本料理の歴史、著名人の飲食逸話、季節料理のレシピなどを掲載しているが、中華料理、西洋料理のレシピも時々掲載されている。本論は明治期の部分（明治38年～40年）を資料にし、そこに使われている洋食関連の漢字翻訳語の特徴を次のように述べる。

１）漢字翻訳語に音訳のルビをつける（下線は筆者が付けたものである。以下同じ。）

①市民（しみん）一人（にん）一日（にち）の食品量（しょくひんりょう）は麺包（ぱん）半斤（はんきん）牛酪（バタ）……乾酪（チーズ）十二封度（ぽんど）馬齢薯（じゃがたら）約百五十斤……（第一巻第一号　明治38年　p.26）

②夏（なつ）は麦酒（びいる）ですよ。（第一巻第二号　明治38年　p.34）

③珈琲精（コーヒエッセンス）に交（ま）ぜて細末珈琲（さいまつコーヒ）として賣（う）るになる歓迎（くわんげい）ありといふ。（第一巻第二号　明治38年　p.49）

上記の下線を引いた漢字翻訳語にすべて音訳のルビを付けているが、かたかなとひらがなの両方を使っており、統一しようという意識はまだないようである。そしてこれらの表記は時間の経過とともに変化が現れてくる。

④即《すなわ》ち湯《ゆ》、茶《ちゃ》、麦酒《ビール》、珈琲《コーヒー》などから取《と》って居《ゐ》るのである。（第一巻第三号　明治38年　p.47）

⑤大匙《おほさじ》一杯《ばい》のバタと。……實《み》は揚《あげ》パンにて宜し。（第二巻第七号　明治39年　p.25）

⑥茶《ちゃ》や珈琲《こうひ》を壓倒《あっとう》する事《こと》が出来《でき》ぬのである。（第二巻第七号　明治39年　p.25）

⑦三叉《フォーク》は麺麭《パン》の上《うえ》に置《お》くが禮《れい》です。（第二巻第八号　明治39年　p.24）

以上の用例にみるように、麦酒のルビは「ビール」に、珈琲は「コーヒー、こうひ」に、牛酪、麺麭の漢字表記はカタカナの「バタ、パン」に変化している。中にはまだ表記の揺れもみられる。

2）既存のことばに音訳のルビをつける

⑧上《うえ》の寫眞《しゃしん》はヴアレンタイン菓子《ケーク》を撮《うつ》せしものなり。（第二巻第二号　明治39年　p.5）

⑨チョコレート煎餅《クッキー》を長方形《ちょうほうけい》に切《きつ》て……（第二巻第三号　明治39年　p.6）

⑩甘藍《きゃべーじ》の根《ね》の所《ところ》を切《きり》て（第三巻第二号　明治40年　p.18）

⑧から⑩はすべて日本語にすでにあることばの本来の読み方を無視し、ルビを付けて、西洋の料理名、素材名を表している。「菓子」の読み方は「かし」ではなく「ケーク」で、新しい読み方を与えることによって、「菓子」という既存のことばに新しい概念が生まれた。

3）既存のことばに外来語をつける

⑪其代《そのかわ》り吾々《われわれ》は澤山《たくさん》の煉乳《れんにゅう》（コンデンスミルク）を甜《な（ママ）》める。（第一巻第六号　明治38年　p.50）

⑫西洋無花果《せいやういちじく》フイグは先月中旬《せんげつちゅうじゅん》から出《で》た。

西洋梨《せいやうなし》ベーア　是《これ》も川崎付近《かわさきふきん》の産《さん》で……（第二巻第九号　明治39年　p.6）

⑬生菓子《なまかし》（ケーキ）の方《ほう》は、長《なが》く置《お》けないし、それに需要《じゅよう》がないから製造し

ません。（第二巻第十四号　明治39年　p.51）

⑪～⑬はすべて既存のことばに外来語をつけるものである。「生菓子」の読みは「なまかし」のままであるが、「ケーキ」という外来語をつけることによって、和菓子と区別することができた。2）と同じように既存のことばに新しい概念を与えた。ルビを付ける以外のもう一つの表現方法である。

上記にあげた用例からみると、『月刊食道楽』は依然として漢字語を多く使用しているが、少しずつ外来語が増えている傾向が見られる。一番顕著に表れるのはレシピの目次の表現である。

⑭簡易西洋料理法第一

（五）メンチボール（牛肉蒲鉾（ぎゅうにくかまぼこ）の煮込（にこみ））（第二巻第一号　明治39年　p.36）

⑮簡易西洋料理法第二

（十一）ホワイト、ソース（牛乳入（ぎゅうにゅういり）の白汁（しろしる））（第二巻第二号　明治39年　p.3）

⑯簡易西洋料理第四

（十九）ボイルド、ポテード

（二十六）ライス、プッデング（第二巻第五号　明治39年　p.29、p.31）

⑭、⑮の用例のようにレシピシリーズの「簡易西洋料理法」の目次は漢字表記ではなく、漢字説明文つきの外来語で表記されている。その点は『西洋料理通』と同じである。ただ、『月刊食道楽』は⑯のように徐々に漢字説明文から脱却するのが特徴である。

4．まとめ

本章は19世紀に出版された2冊の料理本を資料にし、日本に洋食が入ってきた時に、洋食用語がどのように翻訳され、そしてどのように変化していったのかについて考察してきた。結論として以下の3点が指摘できるように思われる。

1）初期の洋食用語を翻訳する際にかなり漢字翻訳語に頼っていた。しかし漢字の形と意味を使うが、できるだけ音読みを使わない工夫がなされていた。訓読みか和語の解釈を導入し、漢文知識を持つ読者だけではなく、一般民衆にも読めるようなこうした工夫は、啓蒙書的な役割を果たしているといえよう。

２）時代の推移とともに、漢字翻訳語から徐々に離れていく傾向が両料理本に共通である。『月刊食道楽』の用例で分析したように、外来語（カタカナ語）が顕著に増えている。

３）日本語には漢字、ひらかな、カタカナと三種類の文字があるため、外国文化を翻訳する際、三種類の文字を駆使することができる。例えば、第３節の⑫の用例に示している「西洋無花果（せいやういちじく）フイグ」「西洋梨（せいやうなし）ベーア」のように、豊かな表現ができるだけではなく、漢字、ひらかな、カタカナの同時表記によって、あらゆる知識レベルの読者に対応することができる。

本章は洋食用語を中心に述べてきたが、その翻訳の特徴は明治期の西洋文化導入の縮図でもある。漢字の形音義、三種類の文字を巧みに操って翻訳に成功したことは日本がアジアにおいていち早く近代化をなしとげた大きな要因の一つでもあると考えられる。

引用文献

（１）福沢諭吉『増訂英華通語』「食物類」三十一葉～三十三葉　慶応義塾大学メディアセンターデジタルコレクション所蔵　https://dcollections.lib.keio.ac.jp/ja/fukuzawa/a01/1（アクセス日：2023年６月11日）
（２）魯文編　暁斎画『西洋料理通』「凡例」明治五年　早稲田大学図書館古典籍総合データベース所蔵　一葉　https://archive.wul.waseda.ac.jp/kosho/bunko11/bunko11_a1926/bunko11_a1926.pdf（アクセス日：2023年６月11日）
（３）『月刊食道楽』第壱巻第壱号　有楽社 明治38年　p.1
（４）上掲書　第壱巻第貳号　明治38年　p.34-p.38
（５）魯文編　暁斎画『西洋料理通』巻二　p.8
（６）魯文編　暁斎画　上掲書　巻一　p.11

参考文献

内田慶市編著『「造洋飯書」の研究?解題と影印』関西大学出版部　2021年

岡田袈裟男 『江戸異言語接触』笠間書院 2006年
飛田良文編著『英米外来語の世界』南雲堂 1981年
星野祐子 「『月刊食道楽』における外来語の機能―明治末期と昭和初期に刊行されたクルメ雑誌を資料にして―」『十文字学園大学紀要』Vol.47 2016年 p.91-p.103
田野村忠温＜コーヒーを表す中国語名称の変遷＞《或問》No.37 （2020）p.41-p.60
田野村忠温＜カレーを表す中国語名称の変遷＞《或問》No.38 （2020）p.15-p.25
南直人「日本における西洋の食文化導入の歴史」『国際研究論叢』18（1）2004年 p.89-100
矢放昭文「福沢諭吉と『増訂英華通語』」『京都産業大学日本文化研究所紀要』第2号2015年 p.64-p.86

第4章

食物を表す日本語 生物を表す日本語

蜂矢　真弓
（国語学）

英語では、豚のことを、食物として捉える場合にはpork、生物として捉える場合にはpigと呼ぶ。それと同じように、日本語では元々、fishのことを、食物として捉える場合にはサカナ、生物として捉える場合にはウヲと呼んでいた。

サカナという語は、「サカ＋ナ」で構成されており、サカは、サカヤ〔酒屋〕・サカダル〔酒樽〕のサカと同じで、酒を意味する。また、ナはナ〔菜〕のことで、主食に対する副食物（おかず）を意味する。つまり、サカナとは、本来は、「酒のつまみ」の意味であり、そこから転じて、fishのことを意味するようになった。

しかし、室町時代末期になると、サカナがfish以外の食物も表すようになり、近現代になると、生物としてのfishをも表すようになる。そして、その結果、ウヲという語は衰退して行くことになった。

その一方で、時代が下ると、「酒のつまみ」の意味を表すために、「サケノサカナ〔酒の肴〕」と言う語が新たに発生する。これは、本来は「酒の酒の菜」という意味であり、酒の意味が重複しているが、時代が下ると、サカナのサカが酒の意味であることが認識されなくなった結果、発生した表現である。

この「サケノサカナ〔酒の肴〕」と類似した表現として、他に、本来は「木の木の末」という意味である「キノコズヱ〔木の梢〕」等が挙げられる。これは、時代が下ると、サカが酒の意味であるということが認識されなくなったのと同様に、コが木の意味であるということが認識されなくなったためである。

1. 食物を表す語と生物を表す語

(1) 英語における食物を表す語と生物を表す語

英語では、豚のことを、食物として捉える場合にはporkと呼ぶが、生物として捉える場合にはpigと呼ぶ。また、牛のことは、食物として捉える場合にはbeefと呼ぶが、生物として捉える場合には、雄牛ならばbull、雌牛ならばcowと呼ぶ。そして、鶏のことは、食物として捉える場合にはchickenと呼ぶが、生物として捉える場合には、雄鶏ならばcockと、雌鶏ならばhenと呼ぶ。このように、英語では、対象は同じであっても、食物を表すのか生物を表すのかによって、呼び分けられている。

(2) 日本語における食物を表す語と生物を表す語

日本語の場合でも、同じ対象について、食物を表すのか生物を表すのかによって、呼び分けられていることがある。

ヰノシシ〔猪〕という語は、一般的な現代日本人にとっては、おそらく、生物を表す語として認識されているであろう。しかし、古代の日本では、生物として捉える場合にはヰ〔亥〕と呼び、食物として捉える場合にはヰノシシ〔猪〕と呼んでいた。

「ヰノシシ」とは、「ヰ〔亥〕+ノ+シシ〔肉〕」という構成で出来上がった語である。ノは、「私の本」の「の」と同じ、連体助詞のノである。一方、シシは肉の意味である。ニクという語は、現代では日本語として使用されているが、元々は漢語（古代の中国語）である。日本に輸入された時期が非常に早かったため、日本語の中に溶け込み、日本語として使用されるようになった。ただし、古代の日本語では、肉を表す語はシシであった。つまり、古代の日本語においては、「ヰノシシ」とは、「ヰ〔亥〕＋ノ＋シシ〔肉〕」であり、「ヰ〔亥〕の肉」という意味であった。そして、生物として捉える場合にはヰ〔亥〕と呼び、食物として捉える場合にはヰノシシ〔猪〕として呼び分けられていたということである。

このように、日本語においても、食物を表すのか生物を表すのかによって、呼び分けられていることがある。

2．サカナの語構成

(1) サカ〔酒〕

日本語には、サカナという語がある。現代日本語では、英語で言うところのfishを表す語として使用されているが、元々は「サカ〔酒〕＋ナ〔菜〕」という構成で出来上がっている。そのうちの、サカ〔酒〕から説明して行くことにする。

サカとは、酒の意味であり、通常はサカではなくサケと言う。しかし、サカヤ〔酒屋〕・サカダル〔酒樽〕のように、下に何かを伴って複合語を作る際には、「サケ～」ではなく、「サカ～」の形態を取る場合がある。このような語は他にもあり、一覧にすると、大凡、下記の通りである。

①アマ〔天〕—アメ、アマ〔雨〕—アメ、イナ〔稲〕—イネ、ウハ〔上〕—ウヘ、ウラ〔末〕—ウレ、カ〔毛〕—ケ、カガ〔影〕—カゲ、カザ〔風〕—カゼ、カナ〔金〕—カネ、コワ〔声〕—コヱ、サカ〔酒〕—サケ、サナ〔核〕—サネ、スガ〔菅〕—スゲ、タ〔手〕—テ、タカ〔竹〕—タケ、タタ〔縦〕—タテ、タタ〔楯〕—タテ、タナ〔種〕—タネ、ツマ〔爪〕—ツメ、ツマ〔頭〕—ツメ、ナハ〔苗〕—ナヘ、ニハ〔贄〕—ニヘ、ヒラ〔領巾〕—ヒレ、フナ〔舟〕—

フネ、マ〔目〕—メ、マラ〔稀〕—マレ、ムナ〔胸〕—ムネ、ヤカ〔家〕—ヤケ、ヨナ〔米〕—ヨネ、ワサ〔早稲〕—ワセ

②ウツ〔内〕—ウチ、カブ〔芽〕—カビ、カム〔神〕—カミ、クク〔茎〕—クキ、クス〔串〕—クシ、クツ〔口〕—クチ、クヌ〔国〕—クニ、クル〔栗〕—クリ、サツ〔獲〕—サチ、タブ〔粒〕—タビ、ツ〔茅〕—チ、ツク〔月〕—ツキ、ツク〔槻〕—ツキ、ツク〔調〕—ツキ、ツブ〔粒〕—ツビ、ヌ〔瓊〕—ニ、ム〔身〕—ミ

③コ〔木〕—キ、ホ〔火〕—ヒ

例えば、①の「カザ〔風〕—カゼ」の場合は、カゼは、カゼヨケ〔風除〕のように複合語の前項部（カゼ〜）として使用することも、アキカゼ〔秋風〕のように複合語の後項部（〜カゼ）として使用することも、単独でカゼとして使用することも出来る。しかし、カザは、カザカミ〔風上〕のように、複合語の前項部（カザ〜）としてしか使用することが出来ない。

②の「ツク〔月〕—ツキ」の場合も同じで、ツキは、ツキカゲ〔月影〕のように複合語の前項部（ツキ〜）として使用することも、モチヅキ〔望月〕のように複合語の後項部（〜ヅキ）として使用することも、単独でツキとして使用することも出来る。しかし、ツクは、ツクヨミ〔月読〕のように、複合語の前項部（ツク〜）としてしか使用することが出来ない。

更に、③の「コ〔木〕—キ」の場合も同じで、キは、キイチゴ〔木苺〕のように複合語の前項部（キ〜）として使用することも、アオキ〔青木〕のように複合語の後項部（〜キ）として使用することも、単独でキとして使用することも出来る。しかし、コは、コカゲ〔木陰〕のように、複合語の前項部（コ〜）としてしか使用することが出来ない。

このように、複合語の前項部（コ〜）としてしか使用することが出来ない語と、複合語の前項部・後項部・単独のどの場合でも使用出来る語との組み合わせが存在する。因みに、①に所属する「カ**ザ**〔風〕—カ**ゼ**」の場合は、語末の音節（太字部分）の母音が「a—e」の組み合わせ、②に所属する「ツ**ク**〔月〕—ツ**キ**」

の場合は、語末の音節（太字部分）の母音が「u—i」の組み合わせ、③に所属する「**コ**〔木〕—**キ**」の場合は、語末の音節（太字部分）の母音が「o—i」の組み合わせになる。

さて、話を元に戻すと、サカナのサカは、「サカ〔酒〕—サケ」のサカ〔酒〕であり、カザカミ〔風上〕のカザ〔風〕のように、複合語の前項部（サカ〜）の場合にのみ使用することが出来る語である。そのため、下にナを伴ったサカナという形態で、酒の意味で使用されている。

（2）ナ〔菜〕

宇陀の　高城に　鴫罠張る　我が待つや　鴫は障らず　いすくはし　鯨障る　前妻が　肴乞はさば〈那許波佐婆〉立ち柧棱の　実の無けくを　こきし削ゑね　後妻が　肴乞はさば〈那許婆佐婆〉厳榊　実の多けくを　こきだ削ゑね……

（『古事記』神武、奈良時代）

現代語訳

宇陀の高く構えた砦に鴫を捕る罠をしかける。私が待っている鴫はかからず、なんと〈いすくはし〉鯨がかかる。前妻がおかずを欲しがったら、柧棱の実の少ないところをたくさんそぎ取ってやれ。後妻がおかずを欲しがったら、厳榊の実の多いところをたくさんそぎ取ってやれ。

（〈　〉内は枕詞、以下同様）

前妻が「欲しがったら」の場合のナは、柧棱の実の少ないところに、後妻が「欲しがったら」の場合のナは、厳榊の実の多いところに相当するため、ナは副食物であり、且つ、食物となる植物を指していることが分かる。

足日女　神の尊の　魚釣らすと〈奈都良須等〉み立たしせりし　石を誰見き

（『萬葉集』八六九、奈良時代）

現代語訳

神功皇后様が魚をお釣りになるとてお立ちになった石をいったい誰が見た

のでしょうか。

こちらの例は、ナを釣っているので、副食物としての魚を指していることが分かる。

因みに、『古事記』神武のナの原文の表記は二箇所とも「那」、『萬葉集』八六九のナの原文の表記は「奈」である。これは、万葉仮名と呼ばれる表記であり、主に奈良時代に使用されていたものである。万葉仮名とは、表意文字である漢字を、それが本来持っている意味を捨て、その読み方だけを借りて、表音的に用いたものである。つまり、意味とは無関係に当て字のように使用する、見た目は漢字だが漢字とは異なる文字のことである。平仮名・片仮名のように読み方だけを表しているため、『古事記』神武の「那」、『萬葉集』八六九の「奈」は、共に確実に「ナ」と読むことが分かっている。

3．サカナ・ウヲの歴史的変遷

(1) ウヲ

ウヲ〔魚〕

隠国の　泊瀬の川ゆ　流れ来る　竹の　い組竹節竹　本邊をば　琴に作り　末邊をば　笛に作り　吹き鳴す　御諸が上に　登り立ち　我が見せば　つのさはふ　磐余の池の　水下ふ　魚も〈紆鳴譔〉　上に出て歎く　やすみしし　我が大君の　帯ばせる　細紋の御帯の　結び垂れ　誰やし人も　上に出て歎く　（『日本書紀』継体天皇七年九月、奈良時代）

現代語訳

〈隠所の〉泊瀬の川を流れて来る竹は、繁り栄えた竹、よい竹、その根元を琴に作り、先端を笛に作って吹き鳴らす、その御諸山の上に登り立って、私がご覧になると〈つのさはふ〉磐余の池の〈水下経〉魚も、水面に出て賛嘆する。〈やすみしし〉我が大君が着けていらっしゃる、細かい模様の御帯が結び垂れ、誰もがみな声を出して賛嘆しています。

池のウヲ〔魚〕が水面に出る、という内容であることから、ウヲ〔魚〕は、英語で言うところのfishのことであり、且つ、生物としてのfishを表していることが分かる。

志賀の浦に　いざりする海人　家人の　待ち恋ふらむに　明かし釣る魚〈安可思都流宇乎〉　（『萬葉集』三六五三、奈良時代）

現代語訳

志賀の浦でいさり火をとぼしている海人が家人が待ち焦がれていように徹夜で釣っているその魚よ

ウヲ〔魚〕を釣るという内容であることから、ウヲ〔魚〕は、英語で言うところのfishのことである。そして、古代の魚釣りということは、趣味ではなく食料の確保である可能性が高いことから、ウヲ〔魚〕は食物としてのfishを表していることが分かる。

ウヲ〔魚〕　ウヲ〔魚〕

（2）古代のサカナの意味

①サカナ〔肴〕：酒肴の意味

明かに知る、是の人、主と作り我が四足を截リテ、廟に祀り利を乞ひ、

膾に賊(き)肴(サカナ)ニ食ひしを。　　　　　　　（『日本霊異記』中巻第五縁、平安初期）

また、後注には「希(サカナニ)」とあり、「肴」に付いた頭注には「「肴」として食う。本縁訓釈「希」は、類本「肴」に従う。」と記載されている。ここから、「肴」は「サカナ」と読むこと、及び、「食ひし」とあることから、食物であることが分かる。

桂-心、将(モテ)_下(クタシ) 酒(サカナ)_物(を)一て 來(レリ)

（貴重古典籍刊行会複製『真福寺本 遊仙窟』、文和二［1353］年訓点）

書き下し文

桂心、酒物(サカナ)を将下(モテクダ)シて来レリ

前述の『日本霊異記』の用例から、サカナが食物であることが分かったが、こちらの『真福寺本 遊仙窟』の用例は、「酒物」に対して「サカナ」の訓が付いていることから、サカナは酒肴の意味であることが分かる。

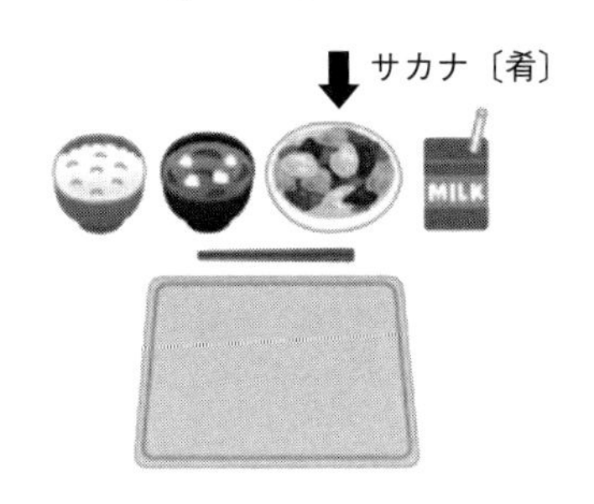

いかに申せども、斎宮、九献(くこん)を参(まい)らぬよし申に、御所、「御酌(しゃく)に参(まい)るべし」とて、御銚子(てうし)を取(と)らせおはします折(おり)、女院の御方(かた)、「御酌(しゃく)を御つとめ候はば、こゆるぎの磯(いそ)ならぬ御肴(さかな)の候へかし」と申されしかば、

売炭(ばいたん)の翁(おきな)はあはれ也　をのれ(お)が衣は薄(うす)けれど　薪(たきゞ)を取(と)りて　冬を待(ま)つこそ悲(かな)しけれ

といふ今様(いまやう)を歌(うた)はせおはします。　　　　　（『とはずがたり』巻一、鎌倉時代）

女院の御方が、酒席の余興を披露なさいませと申し上げたので、御所様が今

様をお歌いになる、という内容である。「御肴（さかな）」を要求されたのに対し、「今様」を歌っていることから、このサカナは、酒席の余興の意味を表している。つまり、元々は、サカナは酒肴の意味であったが、鎌倉時代まで下ると、酒肴から転じて、酒席の余興の意味を表す場合もあるということである。

サカナ〔肴〕

（3）後の時代のサカナの意味

> 料理するすへもしらす海老を汁にし鯛の魚を山椒味噌にてあへ物にし（中略）鯉を菓子にし蜜柑をさしみに仕候へは能肴はいつれを取ても（中略）扨又日數をへて肴のさかるに塩をいたす事もなく……
>
> （『甲陽軍鑑』五、天正三［1575］年）

現代語訳

> 料理する方法も知らず、海老を汁にして、鯛の魚を山椒味噌で和え物にして、（中略）鯉を菓子にしたり蜜柑をさしみにしたりすれば、よく肴はどれをとっても（中略）さて、また、日数が経って肴が傷んでいるのに塩を振る事も無く……

「料理」という語から始まり、「鯛の魚」を山椒味噌で和え物にしていることや、「肴」が傷んでいるのに塩を振る事も無く、と述べていることから、「魚」・「肴」は、英語で言うところのfishのことであり、且つ、食物としてのfishを表していることが分かる。

御くらう〳〵ひとつあがれ　ハイいただき山　ソレさかながはねるぞ

（『倡客竅学問』二、享和二［1802］年）

ひとつ召し上がれと言われたのに対し、「さかながはねるぞ」と返しているので、「さかな」は、英語で言うところのfishのことであり、且つ、食物としてのfishを表していることが分かる。尚、この例は、漢字表記ではなく、平仮名表記であるため、確実にサカナと読むことが確認出来る。

元々、サカナは酒肴の意味を表しており、鎌倉時代まで下ると、酒肴から転じて、酒席での余興の意味をも表すようになっていた。そして、酒肴として使われるのはfishが多かったことから、戦国時代頃まで下ると、サカナは、食物としてのfishの意味をも表すようになったということが分かる。

サカナ〔魚〕

感情も何も見えないさかなといふものに、その生きる在りかを見たいばかりに、裏の大河の磧（かはら）に出て、さかなをつかまへると池を作って絶えず新しい水を引き、そこに放流して私はさかなを眺めて多くの日々を送った。

（室生犀星『火の魚』、昭和三四［1959］年）

「その生きる在りかを見たいばかりに」、「さかな」を眺めている、という内容であるため、この「さかな」は、英語で言うところのfishのことであり、且つ、生物としてのfishを表していることが分かる。

つまり、元々、サカナは酒肴の意味を表しており、鎌倉時代まで下ると、酒肴から転じて、酒席での余興の意味をも表すようになっていた。そして、酒肴として使われるのはfishが多かったことから、戦国時代頃まで下ると、サカナは、食物としてのfishの意味をも表すようになり、最終的に近現代になると、生物としてfishの意味をも表すようになったということが分かる。

サカナ〔魚〕

4．サケノサカナ

（1）サケノサカナの語構成

16世紀にサカナ［魚］の用例が出現する一方で、ほぼ同時期にサケノサカナという用例も出現する。

一　酒はくるさかなはなにかちしやのは
　　ちしやのはをすわゑにあへては御肴
　酒のさかなにあさのほとりのちしやのは
　さけのさかなに五条にまいれはちさのは　　（『田植草子』酒來時之哥）

「酒」を飲む際の「さけのさかな」が萵苣の葉（萵苣は野菜の名前）という内容である。本来ならば、「さけのさかな」ではなく、サカナで良かったはずである。しかし、ほぼ同時期の『甲陽軍鑑』五（1575年）に、食物としてのfishの意味のサカナの用例があることから、本来は「サカナ＝酒のつまみ」であること、「サカナ＝サカ〔酒〕＋ナ〔菜〕」であることが分からなくなってしまったため、サカナ〔酒菜〕の上にサケ〔酒〕を付けて、サケノサカナ〔酒の酒菜〕という、酒の意味が重複した例が出現してしまったものと考えられる。

（2）意味の重複

前述の通り、サケノサカナは、「酒の酒の菜」という意味であり、酒の意味が重複してしまっている。これは、サカナのサカが酒の意味であるということが分からなくなってしまった結果、出来上がってしまった用例である可能性が考えられる。

このような用例は他にもある。

メノマヘ

こむよにもはやなりななんめのまへにつれなき人をむかしとおもはん

（『古今和歌集』五二〇、平安時代）

マヘとは、現代では「前」という漢字で表記するが、「マ〔目〕＋ヘ〔辺〕」という構成である。マとは、目の意味であり、マブタ〔目蓋・瞼〕・マツゲ〔目毛・睫〕等と同様に、基本的に下に何かを伴って複合語を作る際に場合にのみ、メではなくマとなる場合がある。つまり、「マ〔目〕＋ヘ〔辺〕」という構成であるマヘとは、「目の方向」という意味である。しかし、マが目の意味であるということが分からなくなってしまった結果、「目の目の方向」という意味であるメノマヘという語が出来てしまったということである。

キノコズヱ

東三條には、院のかたのつはものともあつまりて、よるはむほんをたくみ、ひるは木のこずゑ山の上にのぼりて、…　（『保元物語』上、鎌倉時代）

また、コズヱとは、「コ〔木〕＋スヱ〔末〕」という構成である。コとは、木の意味であり、コダチ〔木立〕・コガラシ〔木枯・凩〕等と同様に、基本的に下に何かを伴って複合語を作る際に場合にのみ、キではなくコとなる場合がある。つまり、「コ〔木〕＋スヱ〔末〕」である。コズヱとは、「木の末＝木の枝の先端」という意味である。しかし、コが木の意味であるということが分からなくなってしまった結果、「木の木の末」という意味であるキノコズヱという語が出来てしまったということである。そのため、サケノサカナの例は、サカナのサカが酒の意味であることが分からなくなってしまった結果、上にサケノを追加して、「酒の酒の菜」という意味であるサケノサカナという例が出来上がってしまった可能性が考えられる。

キノコグチ

木口（コグチ） 縁ノ－－。木ノ－－。　（『書言字考節用集』第八冊、享保二［1717］年）

その一方で、キノコグチという例がある。上記のように、「木口」の表記の下に、「縁の－－」・「木ノ－－」という表記がある（「－－」の部分は、「木口」を同じであることを示している）。これは、表記の通り、コグチ〔木口〕は「コ〔木〕＋クチ〔口〕」という構成であるが、後に「コ〔木〕＋クチ〔口〕」という意味から転じて出来た、縁の方の意味のコグチとの区別が分かるように、本来の「コ〔木〕＋クチ〔口〕」の方の意味であることを示す「木の－－（木口）」、ならびに、後に出来た縁の方の意味であることを示す「縁の－－（木口）」の例が出来上がったものと思われる。

この「木の－－（木口）」と比較して考えた場合、サケノサカナとは、後に出来た食物・生物のfishの方の意味ではなく、本来の「サカ〔酒〕＋ナ〔菜〕」の方の、酒の方の意味であることを示すサケノサカナ〔酒の酒菜〕の例が出来上がったという可能性が考えられる。

引用文献

国立国会図書館デジタルコレクション『甲陽軍鑑』五、Kindle版、p.75左

日本古典文学大系『古今和歌集』、岩波書店、1958年、p.208

新編日本古典文学全集『古事記』、小学館、1997年、p.152-153

『書言字考節用集　研究並びに索引』、風間書房、1973年、p.328

日本古典文学大系『中世近世歌謡集』、岩波書店、1959年、p.268-269

新日本古典文学大系『とはずがたり』、岩波書店、1994年、p.59-60

日本古典文学大系『日本書紀』下、岩波書店、1965年、p.30-31

新編日本古典文学全集『日本書紀』②、小学館、1994年、p.303
日本古典文学大系『日本霊異記』、岩波書店、1967年、p.187・190
日本古典文学大系『保元物語』、岩波書店、p.62
新編日本古典文学全集『萬葉集』②、小学館、1995年、p.60
新編日本古典文学全集『萬葉集』④、小学館、1996年、p.45
『室生犀星全集』第十一巻、新潮社、1965年、p.374
貴重古典籍刊行会複製『真福寺本 遊仙窟』、1954年、p.23
古典籍総合データベース『倡客竅学問』二
https://archive.wul.waseda.ac.jp/kosho/he13/he13_02132/he13_02132_0080/he13_02132_0080.pdf（2023年５月３日アクセス）

参考文献

有坂秀世『国語音韻史の研究』増補新版、三省堂、1957年、p.3-72
川端善明『活用の研究　Ⅱ』増補再版、清文堂、1997年、p.8-90
『時代別国語大辞典上代編』、三省堂、1967年
『時代別国語大辞典室町時代編』一～五、三省堂、1985-2001年
『日本国語大辞典』第二版 1～13、小学館、2000-2002年

第5章

情報が持つポジティブな可能性

鎌田　均

（図書館情報学）

情報という語は少し堅苦しく、無味乾燥な印象を与えるかもしれない。また、コンピュータといった技術で取り扱われることもあって、なんとなく難しいといったイメージがあったりする。インターネットの普及によって、その情報をとりまく環境は大きく変化している。このことによって人々、社会が多大な恩恵を受けると同時に、近年では誤情報などと呼ばれる内容を偽った情報の蔓延や個人情報の漏洩、ネット上の誹謗中傷などの、情報が関わる問題が社会で注目されている。筆者が書籍の一章の翻訳をしていた時に、インターネットに関する議論、研究では近年の情報環境のネガティブな側面が注目されるようにもなっている(1)、といった内容の記述があり、確かに、それらは重要だが、ある意味暗いテーマではあると思った。本章では、まずそのような現在の情報環境における課題を見ていく。そして、その上で情報が本来持つポジティブな力に改めて着目してみたい。情報を自分自身、物事、社会をポジティブな方向に変えていくように活用し、そういったポジティブな力を持つ情報を生み、広げることについて、これまでの図書館情報学という学問分野と、関連する分野における知見を紹介しながら考えたい。

1．情報環境の変化と課題

（1）情報とは何か？

はじめに、情報という、よく使われる言葉である一方で、実際にはうまく定義することの難しい言葉について少し見ておきたい。情報という言葉は、辞書などによれば、なにかについての報せ、などと定義されている。情報関連のテキストなどでよく使われている情報についての説明では、数字などで示されたデータを分析するなどしたものが情報とされていたりする。そして、人々はそういった情報から自身の知識を形作るといった関連も示されていたりする。今回はここを深く掘り下げることはしないが、実際の社会では、情報、データといった言葉はそれほど明確に区別されることなく使われているようである。数字中心の内容がデータと呼ばれていたり、また文字で書かれた情報であっても、それがコンピュータで取り扱われる場合はデータと呼ばれたりしている。

また、情報とは、外部から人の頭の中に入り、なんらかの変化をもたらすものと捉えることもできる。なんらかの変化とは、これまで知らなかった重要な知識かもしれないし、瑣末な内容かもしれない。しかし、いずれにせよ、その情報を知る前と知った後では、その人の頭の中の状態は変化していると考えることができる。そして、そのような変化をもたらすものを情報と見ることができる。このように情報というものを広く考えるならば、世の中にある様々なものを情報と捉えることができる。いずれにしても、情報というものを簡潔に定義することは実は難しい。情報とは何かについて考え出すとそれは哲学と深く関わることにもなり、情報哲学という分野も存在している。

人間は情報を何らかの形で記録して保存、流通させてきた。情報とはコンピュータで取り扱われるもの、というイメージもあったりする。しかし、情報を上記のように広い意味で捉えると、情報というものは、コンピュータの登場以前から社会に広く存在してきた。人類が誕生して言葉を話すようになった。そして文字が誕生し普及して以来、人間は情報と呼ぶことができる様々な事柄を文字として記録して利用してきた。しばらくして印刷の技術が生まれ、普及すると、そういった文字で記録されたものがより広範囲に普及することとなった。現在の図書館は、そういった主に文字で書かれたものを収集、保存する役割をもった、情報を取り扱う場所の中心として発展してきた歴史がある。そして、音声や画像、映像を記録できる技術も生まれて、発展してきた。

(2) インターネットがもたらした情報環境

1990年代から社会一般に普及するようになったインターネットは新しい情報環境をもたらした。インターネットによって多くの人々が大量の情報に即時にアクセスできるようになったことは、現在の社会では当たり前のようになっているが、これまでの情報の歴史から見ると、重大な変革であるといえる。歴史上、多くの情報は文書や書物という形で、そしてそれを印刷し流通させる出版という仕組みを通して世の中に流通していた。そして、ラジオや映画、テレビといったメディアも登場した。これらから入手できる情報に加えて、インターネットという新しい手段によって人々がアクセスできる情報量は飛躍的に増えた。そして、それまでは情報を手にいれるためには例えば書籍といった紙の出版物などを入手する必要があった。しかし現在では、インターネットにアクセスできる端末さえあれば大量の情報に即座にアクセスできるようになった。これまでは放送メディアなどが発信してきた映像も、番組の放送日時が決められていたり、映画館に見に行ったり、ビデオを購入したりする必要があったのが、インターネットでは望む情報の多くを個人がいつでも得ることができるようにもなった。そして、現在ではスマートフォンといった携帯端末からもインターネットにアクセスできるようになったことで、人が情報を入手できる場所もこれまでのように固定されなくなっている。

インターネットによって、情報にアクセスできるだけでなく、大多数の人々がそこで情報を発信できるようにもなった。ウェブ上で情報を見るだけではなく、利用者側から情報を入力して送信したりすることで、様々な取引や手続きも可能となった。ソーシャルメディアと呼ばれる一連のサービスが普及する中で、新しい形のコミュニケーションもより簡便な形で可能となった。ブログだけではなく、フェイスブック、ツイッター、LINEといったソーシャルメディアによって、一般の人々が簡単に情報を発信できるようにもなった。これまでは情報を広く発信できることができるのは社会で権力を持った一部の人たち、社会でそういった力を持つようになったマスメディアに限られてきた。歴史的に見ても、そのような力を持った人々は過去にはごく一部に限られており、インターネットがもたらした社会の大きな変革と捉えることができる。

（3）現在の情報環境における課題

一方でこのような現在の情報環境はいくつかの課題をもたらすようになった。その中でも大きな問題とされているのが、フェイクニュースなどと呼ばれる虚偽情報が蔓延する状況である。情報の内には、その内容が誤っている、いわゆる誤情報が混じっていたりする。その誤情報の中で、人を何らかの目的で欺く意図を持って作り出された誤情報を虚偽の情報と考えることができる。2016年のアメリカ大統領選挙の時に広がった多くの虚偽情報が「フェイクニュース」と呼ばれて社会の話題となった。さらに新型コロナウイルス感染症が世界に広がった特に初期には、大量の誤情報、虚偽情報が流れたことが社会の混乱に拍車をかけた。この状況はインフォデミック（infodemic）という言葉で呼ばれるようにもなり、ウイルスの世界的流行（パンデミック）だけではなく、情報によるパンデミックという問題も明らかとなった。

虚偽の情報はもちろん歴史上以前から存在してきた。現在の情報環境では、それらが大量に発信され、大規模に拡散されるようになり、虚偽情報がもたらす問題を大きくしている。そして過去には、情報をある程度の規模で発信できる人々は権力者やマスメディアなどに限られてきたこともある。現在でもそういった立場から発信される虚偽情報はその影響力が大きいことから重大な問題となるが、現在では多くの人々が虚偽情報を発信、拡散できるようになっていることも問題を大きくしている。また、デジタルの環境では画像などの加工が容易となり、虚偽の内容を本物らしく見せることも容易となっている。

そして、フィルターバブルと呼ばれる現象も注目されるようになった。人間が自分の見たい情報を取捨選択できることに加えて、ソーシャルメディアなどのアルゴリズムが自動的にその人物が好む情報を選択して送るようになっている現象のことを指す。また、エコーチェンバーという、情報、コミュニケーションが限られた集団内で共鳴し、その中でのみ増幅するような状況もインターネット上で現れるようになった。こういった状況において、虚偽情報が自分の見たい情報として流れ、それが特定の集団の中で増幅するという現象が生じている。こういった情報環境が「ポスト真実」と呼ばれるような、人々が各々自分の信じたいことを真実とするような社会状況を作り出している。

インターネットの普及は、インターネットに十分にアクセスできない、情報を利用するために必要な機器を利用できないといった、情報格差の問題も顕わにした。世界にはインターネットへのアクセスが十分整備されていない地域が依然として存在し、経済的理由で情報に十分にアクセスできない人々が依然として多く存在する。情報に十分にアクセスでき、活用できる人はそれによって経済的に高い地位を得ることができたりする一方で、そうではない人々との格差が拡大している。経済的要因以外にも、必要とする情報に十分にアクセスできない状況を作り出す様々な要因がある。また、情報がそこにあったとしてもそれらを必要とする人にうまく伝わらないような状況も存在したりする。また、情報が大量にあるがために、その中から適切な情報を見つけ出すことも難しくなっている。そして、情報が多すぎるがために情報を避けるような行動も見られたりする。

その大量の情報の中には、個人についての情報も含まれている。そこには個人の購買動向、情報の閲覧状況などの行動が収集、蓄積され企業などによって分析、利用されているようなビッグデータも存在する。このような状況におけるプライバシーの問題も現れるようになり、個人情報がビッグデータとして利用されることの議論が起こったりしている。また、インターネットを通して何らかの形で個人が特定され、個人情報がインターネット上で広がってしまうような問題も存在する。そして、個人、集団に対する誹謗、中傷といった内容が大量に送られることの問題も重大となっている。一般の個人や集団が特定されてしまい、このような被害を受けるケースは周知の通り多く存在する。

2．人、社会にポジティブな影響をもたらす情報

(1) 情報のポジティブな効能

このように、現在の情報環境はこれまでになかった様々な課題を生み出している。こういった課題に直面し、社会全体の対処法を見出していくことはもちろん重要である。それを踏まえて本章では、こういった状況の中における、情報の持つポジティブな側面に目を向けたい。情報の中身は様々であり、その中には誹謗中傷といった明らかにネガティブなものもある。情報について価値判断を下すのは人間であり、結果としてポジティブまたはネガティブな影響を受けるのも人間である。そして、どのような価値判断を下し、どのように影響を受けるかも人によって異なる。ここでは、このポジティブという言葉を便宜的に人、集団、社会全体になんらかの良い影響を与えるもの、前向きにするようなもの、として用いたい。社会を前向きにする、ということとはどのようなことかも、考えると難しいことではあるが、ここでは現在の民主主義と

いう仕組みにある、全ての人々が幸福を享受できる社会を目指すことと考えてみたい。

立ち止まって考えると、本来の情報の多くは、ここでいうポジティブな効能を持つものと見ることができる。人々はこれまで様々な目的で様々な情報を利用してきた。それは学習であったり、仕事目的であったり、趣味、娯楽のためであったりと様々だが、人々は情報を得ることで、それをなんらかに役立てるか、または自身になんらかのポジティブな変化を与えてきた。したがって、多くの情報は本来ポジティブな目的で利用されてきたものであり、ここである種類の情報をポジティブなものとして改めて定義するわけではない。あくまでも、現在の情報環境の持つネガティブな側面がクローズアップされている中で情報の本来の効能に再注目するために、この言葉を用いてみたい。

人は、人生そして日常生活で様々な課題に直面する。例えば、就職先を見つける、というのも課題の一つである。人々が直面する様々な課題に対処するためには情報が必要となる。そこで利用される情報は、人々が直面する課題を乗り越えることを助ける、という意味で、やはり人々に前向きな影響を与えるものである。そして、それは社会全体にとっても前向きな影響を与えるものと考えることができる。そして、社会全体が直面している課題、例えば環境問題といった課題も多く存在する。そして、より多くの情報がより多くの人に行き渡ることが、全ての人々が主権を持ち、幸福を追求できる民主主義社会にとって望ましい姿とされてきた。それによって人々は社会におけるさまざまな事柄、意見、考え方を広く知ることができ、政治に対して適切な判断をすることができる。

図書館情報学には、人が情報とどのように関わっているかを研究する、情報行動と呼ばれる研究分野がある。この分野において図書館情報学者の Jenna

Hartel らが、情報の持つ、いわゆる高次の側面に着目している。以下、Kari と Hartel の論文[2] に拠って述べたい。これまでの情報行動の研究では、人々がなんらかの課題、問題を解決するために情報を求め、利用するという側面が注目されてきた。また、そのようなかたちで情報と関わる状況においては、いわゆるネガティブな感情が多く見られるとされる。例えば、なにか不安を持っている場合、問題に直面している場合、生活、生命がかかっている場合などがある。また、仕事として必要なこと、日常生活で普段行っている活動、ルーティンで行わないといけない活動のために情報を得ているような場合には、あまり積極的な感情はみられないことがある。Kari と Hartelは、それらをいわゆる「低次」な活動としている。ここでは「低次」という言葉は、重要でない、という意味ではなく、人間が生活する上で必須であり、かつ重要であったりする活動のことを指している。

これを踏まえて、Kari と Hartelは、「高次」とされる事柄に注目している。それらには、人がなにか期待を持つような事柄、自発的な活動、深淵な体験、前向きな事柄、達成感につながること、興味を持っていること、楽しみである事柄などがある。Kari と Hartelが述べているように、いうまでもなく、高次の体験と低次の体験とを明確に区別することはできない。例えば、ある人が仕事をとても楽しく感じている場合は、それは高次の体験ととらえることができたりする。Kari と Hartelは、人間がより良い生活を送るうえで、このような高次の側面があり、そして重要であるとしている。人々はこういった体験をする上でも、情報と関わっている。例えば、様々な趣味を持つ人々もその活動を行う上で情報を取得、利用し、その趣味がもたらすポジティブな体験につなげている。したがって、情報とは必ずしも実用的価値、知識としての重要性を持つのみにとどまらず、こういった娯楽目的、趣味で利用する情報も、その人にとって重要なのである。

このように考えると、情報は人々の生活、人生をより良くする効能を持つものであることが改めて確認できる。それが例えば娯楽目的であったとしても、それを読む、見るなどすることで一時の楽しみを得ることができ、それはその人にとって即時にポジティブなことである。そして、それが即時ではなくともひいてはその人にポジティブな影響を与えることにもつながりうる。例えば小説やエッセイといった読書をすることも娯楽の一種である。図書館情報学者のRoss は、そういった種類の読書が、読者にとっての楽しみだけでなく、読書の内容が、読者の生活、直面した事柄へ対処する時などにおいて、後日に影響を与えている場合があることを明らかにした[(3)]。

(2) 情報をポジティブに活用するためのメディア・情報リテラシー

情報を適切かつ効果的に人々が利用できる能力は、情報リテラシーなどと呼ばれている。この言葉は、コンピュータおよび関連する技術を使いこなす能力という意味合いでも使用されているが、図書館情報学の分野では、コンピュータを使用するのみにとどまらない能力として捉えられてきた。情報リテラシーは、自身が情報を必要としていることを認識でき、必要な情報源を見つけ、情報を効果的に探索し、内容を適切に評価した上で情報利用の目的のために効果的に利用できる能力、と位置づけられる。そして、これまで社会において人々に情報を提供する役割を担ってきた図書館は、人々の情報リテラシーを向上させることもその活動の一部としてきた。

メディア学、メディア教育の分野では以前からメディアリテラシーの重要性が提唱されてきた。メディアリテラシーでは、メディアから発信される内容のメッセージを読み解いたりするような、批判的思考力を必要とする一連の能力が挙げられている。それらは本章で述べているような様々な形で発信されている情報を適切に捉える上で重要な能力である。このような能力は、図書館情報学分野の情報リテラシーでも情報を批判的に検討できる能力として捉えられてきた。メディアリテラシーは、主にマスメディアから発信される内容についての能力として進展し、情報リテラシーは図書館がこれまで主に取り扱ってきたような文字が主体の情報についてのリテラシーとして発展してきた。しかし、現在の情報環境では、様々なメディア、情報が混在し、同じ内容が異なる媒体を通して発信されたりする。例えば、テレビ番組がインターネットで配信されたり、書籍も紙媒体と電子書籍として刊行されたりしている。このように、これまでのような情報を伝達する媒体の区別が曖昧となってきている。したがって、これまで個別の分野のリテラシーとして発展してきたメディアリテラシー、情報リテラシー、そしてその他の関連するリテラシーも融合されつつある。

ここで前提となっていることは、情報はただそこに人目に触れず存在しているだけでは人々に作用を与えることはできないということだともいえる。そして、情報を受動的に与えられたとしても、それがその人にとって有効に作用するものとは必ずしもいえず、また、その人がそれを有効に活用できるかどうかはわからない。この意味で情報リテラシーと呼ばれる能力は、自分が必要とする情報を見つけることができるためだけではなく、これまで述べてきたような情報をポジティブに活用する上でも重要となる。世の中に十分な情報が存在し、人々がそれを手に入れることができるようになっていることは重要だが、そこから必要な情報を見出し、活用するのは人間の側なのである。

3．ポジティブな情報を生み、広げることができる環境

先にも触れたように、現在の情報環境がもたらした大きな変化の一つとして、多数の人々が情報を発信できるようになったことがある。インターネットの普及前は情報を大規模に発信できるような力は一部の人々に限られていた。しかし現在では、多くの人々が情報を発信できるという力を持つようになった。しばらく前には、欧米でデジタルストーリーテリングと呼ばれる取り組みが生まれるように

なった。それは、一般の、いわゆる普通の人々の日常、感情などの表現を自身によって映像化して公開する取り組みである。一般の人々を取り上げた映像はもちろん以前からつくられ、テレビなどで放映されてきた。しかし、それらはどちらかといえばマスメディアやジャーナリストなどの視点によって作られたものであった。今ではYouTubeのような動画配信サービスを利用してこのようなことは容易にできるようになったが、当時は、このような形で人々が自分自身を表現できることと、それがその人に及ぼすポジティブな影響、そういった表現を広く多くの人に伝えることに、このような活動の意義が見出されていた。

現在の情報環境はこのような力を人々にもたらした。情報だけでなく、自ら何かを作り出すことには、その人に及ぼすポジティブな力がある。それは文章表現であったり、映像コンテンツであったり、その他様々な作品であったりする。そのためには、人々が様々な表現を形にできる技術を身につけることも必要となる。例えば、3Dプリンターといった機器を設置した「メイカースペース」などと呼ばれる場所が、情報技術や機器を利用した様々な創作活動を行えるように提供されている。海外ではこういった場所が公共図書館でも提供されていたりする。公共図書館は全ての人に開かれ、無料で利用できる場所であり、子供たちも含めて様々な人々が情報機器の使い方を楽しみながら学び、創造することが可能となっている。こういった、普通の人々が自身を表現できる機会は、文字を主体とした内容については、ブログなどで簡便に得ることができるようになった。さらにYouTubeといった動画共有プラットフォームが普及し、映像コンテンツを簡単に作成、編集できる環境も一般に普及したことと相まって、多くの人々が容易に映像コンテンツをも作成、発信できるようになった。

このことは、本来社会と個人にとってポジティブなものではあるが、先に述べたように、そこで発信される様々な情報、コンテンツのうちには、虚偽情報といった問題を孕んだものも多く含まれうる。また、こういった一般の人が発信できる環境が、多くの場合企業が提供するプラットフォーム、例えばYouTubeといった仕組み、でもたらされていることに留意すべきことも指摘されている。個人の発信する情報が様々なプラットフォームで発信されているが、そういった情報は、企業の管理下に置かれているとも捉えることができる。そして、そういった企業のプラットフォームで発信される情報は広告、宣伝と絡められるようにもなっている。例えば YouTube では、投稿者がそのコンテンツによって広告収入を得ることができる仕組みが導入され、YouTuber という、動画作成によって収入を得る人たちが増加し、一つの職業として認知されるようになっている。これによって、より多くの人々がコンテンツの発信に携わるようになった一方、収入を得るためという意識が映像コンテンツの内容に影響を与える可能性も大きくなる。利益追求のためのコンテンツ作成、情報発信という側面は既存のテレビといったメディアに見られるものであったが、それが多くの人々のコンテンツ作成にも見られるようになっているともいえる。このように、現在の情報環境には商業主義の影響も多くあることも意識しておく必要がある。

しかし、そこには依然として多くの人が参加して様々な形で社会、集団、個人にポジティブな影響を与えるような情報を広く発信できる可能性がある。一時の娯楽のための情報のようなものも、それで人が楽しむことができ、それによって日常のストレスから一時でも解放されたり、それによって救われたりする可能性もある。そして先に述べたように、それらは趣味や娯楽に関する情報のみではない。他者や社会に何らかのかたちでポジティブな影響を与える情報を多くの人が作成し、発信できる環境が依然としてそこにはある。情報を取り巻くネガティブな側面が強調されている今、それらに対処することはもちろん重要であるが、そこにおいてポジティブな力を持つ情報をより多くの人々が生み出し、発信し、多くの人々に伝えられるような情報環境を醸成することも重要な意味を持つといえる。例えば、昨今の新型コロナウイルスのパンデミック下では、ウイルスに感染した人、感染が発生したとされる場所に関わる人々に対する誹謗、中傷がインターネット上で送られたりした。その一方で、そういった人々を支えるメッセージも見られた。

多くの人々が様々な情報を生み、発信できるようになる中で、それを効果的かつ適切に行うための能力が必要とされる。メディアリテラシーでは、メディアを通して発信される内容を受け手として理解する能力だけではなく、情報、もしくはコンテンツと呼ばれたりする内容を作り、それ発信する能力も含まれる。メディア教育の分野では、学生、生徒にメディアコンテンツを作成させることを通してメディアリテラシーを身につけさせる教育が実践されてきた。そして、図書館情報学の分野で発展してきた情報リテラシーにおいても、それまで重視されてきた、情報を利用することだけでなく、情報を自分で作るプロセスにも焦点が置かれるようになってきている。

とりわけ情報、コンテンツを作り、発信する際の倫理的側面は重要となる。虚偽情報といった悪意が含まれる情報、コンテンツの作成、発信は明らかに問題とされる行為である。しかし、情報、コンテンツを作成、発信した際には、自分にそのような意図がなくとも、他者を傷つけたり、害を与えたりするケースも多くある。多くの人々が情報の発信者となりうる中で、様々な状況、立場にあり、様々な考え、価値観を持った多様な人々がその情報を見る可能性がある。自分が発信する情報、コンテンツがどのような受け止められ方をされる可能性があるかを意識できることも、より一層求められるようになっている。それは、情報を生み出し、発信する際のみではなく、情報をシェアするような時にも求められる。シェアしようとしている情報の内容を適切に捉え、それをシェアした時にそれが大きく拡散した時の影響などを想像できることが重要となる。

このように、人々が自身の情報リテラシー、メディアリテラシーを向上させることがより重要となっている。その上で、情報についての教育を提供するといった、教育現場が果たすことができる役割は大きい。ただ、教育においては、情報を使う、発信するにあたって「してはいけない」「すべきだ」といった内容になってしまいがち

になるかもしれない。それはもちろん大切なことではある。しかし、著作権といった権利や倫理を守って、人の利益を損なわない、人を傷つけたりしない、といった必須のことを踏まえて、他人や人にポジティブな影響を与えるような情報発信を広めて、人々がそれに関わることを促すような取り組みも、より必要とされるように思う。

4．おわりに

私たちは情報をさまざまな目的で必要とし、利用している。そのため、情報がテーマとして扱われる時には、情報の実用的な面が強調されることが多い。そして、急速に変化し、複雑化していく社会において、情報の重要性も増大している。そこで、情報を使いこなすことができる情報リテラシーという力を人々が備えることも大事となっている。そういった力を人々が備えることが大切であり、そのための教育はもちろん重要ではあるが、そこでもやはりその実利的な側面が強調されてしまう。情報リテラシーという力を備えることで、社会において自分がうまくやっていけることはもちろん大切である。ただ、情報格差といった問題にも見られるように、そこにおいて取り残されてしまっている人々にも目を向ける必要がある。

情報の中身は様々であり、必ずしも無味乾燥なものではない。そして情報を見る、使うのは人間なので、そこには感情が絡んだりする。情報がもたらすネガティブな問題が深刻化している中において、本章では情報が本来持つポジティブな力について、改めて考えてみた。情報は人の生活、心、ひいては人生に影響を与える。そのうえで、情報を自らのためにポジティブに活用するのみならず、世の中にポジティブな影響を及ぼす形で利用し、発信できるためには、こういった情報の持つ感情的な側面についても意識する必要がある。世の中、人生では暗いことも多くあるが、そういった様々な問題に向き合いながらも、自らを明るくし、社会を明るく照らすことができるような情報との関わり方ができる人になる、そのような人を社会が育てることが大切となる。このように考えると、情報について学ぶということは、数字や技術のみではない、人間味溢れる側面もある。

引用文献

（1）エリック・ヘニングスン，ホーコン・ラーセン「ウィキ作業の喜び：デジタル環境における職人意識、フロー、自己外在化」『デジタル時代における民主的空間としての図書館、アーカイブズ、博物館』ラグナー・アウダンソン他編著、久野和子監訳、松籟社、2022：317-333.

（2）Kari, J. & Hartel, J. "Information and higher things in life: Addressing the pleasurable and the profound in information science." *Journal of the American Society for Information Science and Technology*, 58 (7), 2007: 1131-1147.

（3）Ross, C. S. "Finding without seeking: The information encounter in the context of reading for pleasure." *Information Processing and Management*, 35 (6), 1999: 783-799.

参考文献

笠原和俊『フェイクニュースを科学する：拡散するデマ、陰謀論、プロパガンダのしくみ』化学同人，2018.

Case, D. O. & Given, L. M. *Looking for Information: A Survey of Research on Information Seeking, Needs, and Behavior*. Fourth Ed. Emerald, 2016.

Goldstein, S. ed. *Informed Societies: Why Information Literacy Matters for Citizenship, Participation and Democracy*. Facet Publishing, 2020.

Leaning, M. *Media and Information Literacy: An Integrated Approach for the 21st Century*. Chandos Publishing, 2017.

Lundby, K. ed. *Digital Storytelling, Mediated Stories: Self-representations in New Media*. Peter Lang, 2008.

イラスト：間宮幸彦

第6章
学ぶ権利を支えるブックスタート

岩崎　れい
（図書館情報学）

カナダの児童図書館員リリアン・スミスは、その著『児童文学論』で、アン・カロル・ムーアの文章を引用しながら、絵本は子どもが出会う初めての芸術であり、異文化であると述べている。オバマ・アメリカ合衆国元大統領は、子どもが図書館への魔法の敷居をまたげたら、人生を変えることができる、と読むことの重要性を示唆している。

では、幼い子どもたちは、誰もが芸術や異文化に出会い、魔法の敷居をまたぐことができるのか？　否、というのが答えであろう。その“否”を減らす試みの１つが、1992年に英国のバーミンガムで開始されたブックスタートである。英国でブックスタートを実施しているブックトラストは、その目的を「すべての子どもたちが読むことを通じて、よき人生のスタートが切れるようにすること」としており、教育を主眼においた活動を展開している。

本章では、学習権やウォーノック報告における「特別な教育的ニーズ」との関わりにも触れながら、赤ちゃんに本を読むことの意義がどのようにとらえられ、またそのためにどのような取り組みがされてきたのかを、英国におけるブックスタートを通して繙いていく。

1．英国のブックスタートの取り組み

赤ちゃんに本を読むことは必要？　この問いは、多くの人が持っているかもしれない。赤ちゃんはしゃべらないし、まだ言語も認知してはいないと考えら

れている。しかし、近年では、０歳の時から絵本を読んでもらうことに意義があると考えられるようになってきている。その背景には、発達心理学などの学術的な研究が進んだこともあるが、同時に社会的な取り組みが大きく影響したと考えてもよいだろう。

その中でも、特に大きな影響を与えたのが、イギリスの民間団体ブックトラストによって実施されたブックスタート[1]であり、現在では、日本とイギリスを含む27か国が2018年に発足したGlobal Network for Early Years Bookgifting[2]というネットワークに参加して、赤ちゃんが絵本に出会うための活動を行っており、ほかにも同様の取り組みをしている国々がある[3]。

図１　家族と共に絵本を読むことの意義についてコンセンサスを得られるようになった。

このような取り組みの先鞭をつけた英国のブックスタートは、ブックトラストという民間団体によって1992年にバーミンガムで始まった。その理念は、すべての子どもたちが読むことを通じて、よき人生のスタートが切れるようにすることである。この取り組みが始まったころ、人生の公平な出発のために絵本を提供するという考え方が示されたことが印象的であった。初期のプログラムでは、赤ちゃんには絵本に加えスタイなどをプレゼントし、親へは絵本選びや子育てに関するアドバイス集や子育てに関する行政サービス案内を提供するというものであった。

2012年には、ユネスコがブックスタートを事例紹介している[4]。その際、Bookstart Educational Programmeとして、明確に教育プログラムとして位置付けている点が興味深い。

2021年には、ブックトラストが「すべての子どもが、日常的に楽しく読書できるようにしたい」という理念のもとに新たに５か年計画を提示した。この理念を具体化するために、以下の５つの活動項目を挙げている(5)。

1　すべての家族が最も早い機会に、一緒に“読む”ことを始められるようにする。
2　読書の旅に出て、読むことを生活の一部にするために、より多くの支援を必要とする子どもたちと家族を乳幼児期のうちに支援する
3　変化や新しい経験によって読書が難しくなっても、子どもや家族が読書の旅を続けられるようにする
4　課題を抱える家庭環境で育っている子どもたちが、その困難にもかかわらず読書の恩恵を享受できるようバリアを取り除く。
5　読むことの恩恵を理解し、擁護し、促進する支持者のコミュニティを構築する。

ただし、もともとブックスタートはバーミンガムで開始され、家に１冊も絵本がない子どもがいないようにすることによって、家庭環境の違いによって子どもたちに読書環境の格差が生じないようにすることを活動の目標にしていた。そのことからすれば、今回示された５項目自体が新しい取り組みというわけではなく、対象と活動を明確にした５か年計画を公開したと理解することができる。

この５項目から、改めて以下のようなブックスタートの理念を読み取ることができる。まずは、継続的な読書習慣や“読める”ことが、子どもたちがよりよい人生を送るためには不可欠であるという考え方が基本である。そして、そのためには次のような方法で支援をするのが望ましいと考えられている。子どもたちが読むための支援はできるだけ早い乳幼児期に、そして子ども自身だけでなく、家族も対象として一緒に支援することが望ましく、その方が支援の効果を上げることができる。その支援の対象は、すべての子どもたちであるが、特に家庭環境などさまざまな理由で困難を抱える子どもたちには力を尽くす必要がある。その支援をするためには、ブックトラストのみで行うのではなく、

地域や行政と連携して、読めることの重要性を理解し、促進しようとする支援者を増やす必要がある。

2．英国のブックスタートの特徴

英国で行われているブックスタートはすでに30年の歴史を持ち、その間にさまざまな発展を遂げてきており、いくつもの特徴があるが、ここではそのうちの２つの特徴について触れていきたい。

１つ目は“特別なニーズを持つ”子どもたちに、そのニーズに応じた絵本を提供する取り組みを続けていることである。２つ目は継続的なサービスをすることによって、就学後の学びに結び付けていることである。

１つ目の取り組みにおいて重要なポイントである“特別な教育的ニーズ”という語は、日本でも近年見かけることが多くなった。この“特別な教育的ニーズ（Special Educational Needs：SEN）”という概念は、1978年にメアリー・ウォーノック（Mary Warnock）を議長とする障害児の教育調査委員会の報告書、ウォーノック報告書（Warnock Report）[(6)]が提案したものである。それまでの特別支援教育においては、障害についての医療的な分類によって障害を認識していた。しかし、この“特別な教育的ニーズ”という考え方では、そのような分類は子ども側の要因としてのみとらえ、教育を提供する側からは医療的なカテゴリーによってではなく、それぞれの子の学習ニーズに沿って教育を提供する必要があるとするものである。

ブックスタートでは、サービス開始後まもなく、生まれつき目の見えない子や弱視の子のためのBooktouchが、その後しばらくしてからは生まれつき耳の聞こえない子や難聴の子のためのBookshineが開始され、現在では発達障害や運動機能の困難を抱える子どもたちを対象とするなど、さまざまなニーズに応えられるようなサービスを模索するに至っている。全盲の子や弱視の子にとっては、一般に出版されている絵本では楽しめないことは明らかであり、そのためBooktouchはかなり早い段階で開始された。耳の聞こえない子や難聴の子のためのBookshineがそれに遅れて始まったのには、乳幼児期の言語獲得、すなわち人がその土台となる言語力を育成するにあたり、耳から聞くという体験が重要であり、それが何らかの理由でできなければ、言語獲得が難しくなるということが社会的に認知されるのが比較的遅かったためと考えられる。その後、発達障害等を抱える子どもたちの“特別な教育的ニーズ”に応えるために、試行錯誤が行われ続けている。現在新たに実施されているのは、運動機能に困難を抱える子どもたちのためのBookstart Starというプログラムである。

また、英語を母語としない子どもたちのために、dual-language booksという名称で、英語以外の絵本を受け取ることができるようにしている。英語の絵本でも、その子の母語の絵本でも、親が希望する方を受け取ることができる。その背景には、それぞれの民族の母語と文化を尊重する考え方とその子が英語圏である英国で生活していくことを考えた生活の質の向上を担保するという考え方がある。

これらのプログラムは、“すべての”子どもたちに読書の機会が保障されることが重要であるという明確な理念のもとに行われている。また、そのためには親や保育者に対する支援も不可欠であるという認識もあり、それぞれのニーズに沿った行政サービスの案内だけではなく、例えば、全盲もしくは弱視の子を持つ親のネットワークも紹介されており、ブックトラストはそれらの効果を検証し、サービス案内やネットワークの紹介が有効に機能していることも示唆している。

２つ目は、継続的な取り組みの重視である。取り組みの開始直後は０歳児のみに対するサービスをしており、日本でも赤ちゃんに対する取り組みというイメージが強い。その後、比較的早い段階で、ブックスタートプラスなどフォローアップの取り組みが始まり、それらの取り組みの成果をもとに、継続的な支援が子どもたちの就学後の学習に与える影響についての調査などをおこなった。その結果をもとに、継続的な支援がより効果的であるとして、現在では、学校に対する読書支援も開始している。

Bookstart - sharing stories and rhymes from 0-5

Bookstart Baby and dual-language books

Bookstart Baby packs are gifted free to all babies before they turn one. Free dual-language books are also available for families with English as an additional language.

My Baby Bag

We hope you're enjoying using your Bookstart Baby Bag. Here, you'll find tips, videos and book suggestions to help you continue sharing stories and rhymes with your baby.

Bookstart Family Hub

Welcome to the dedicated digital space for families with children aged 0-5.

Additional needs packs

Bookstart is for every child. Find out more about our free Bookstart Shine, Bookstart Touch and Bookstart Star additional needs packs.

Bookstart in Wales

Through Bookstart, BookTrust Cymru gives every child in Wales their own books to have at home and supports families to read together regularly.

What is Bookstart?

Bookstart is the world's first national bookgifting programme, giving free books to all children in England and Wales at two key ages before school.

Rhymetimes

Enjoy songs, rhymes and rhythm with your child at your local library, nursery or children's centre - Rhymetimes are free and fun for everyone.

図2　現在、英国のブックトラストが実施している０～５歳向けのブックスタートプログラム

1歳半を対象にしたブックスタートプラスが始まり、2歳半前後を対象にBookstart Treasure Chestが提供されるようになり、フォローアップの意義が認識されるようになった中で、現在は0歳児には必ずプログラムが提供されるほか、5歳までの間に地域や対象によっていくつかのプログラムが提供されるようになった。また、就学後のプログラムも比較的早くから実施されており、試行錯誤を経て、現在は、就学直後に家での読み聞かせが急激に少なくなることを心配してはじめられたTime to Readや中等学校に通う貧困家庭の子どもたちの支援を意識したSchool Library Packなどが実施されている。

これらのプログラムに力を入れている背景には、初期の頃のように0歳児だけを対象にしたサービスでは不十分で、継続して何回かプログラムを実施することで効果が上がりやすくなることやこれらのプログラムが就学後の学力に影響を与えていることへの認識がある。そして、そこには、子どもたちが学校の

授業についていけるように支援することが、子どもたちの生活の質を向上させ、また将来の選択肢を増やすことにつながるという考え方がある。
今回は２つの特徴に絞ってご紹介したが、そこに共通して見えているのは、ブックスタートは赤ちゃんを対象とするプログラムであるというよりも、赤ちゃんの時からサービスを開始することによって、その子の人生の土台を築くという意識が強いことである。また、理念にとどまることなく、事例調査やアンケート調査、追跡調査などによって、プログラムの効果を測定しながら、プログラムを発展させているところも重要なポイントであると言えるだろう。

３．日本のブックスタートの取り組み

日本において、ブックスタートが始まったのは2000年である。これは、たまたま〈子ども読書年〉とされた年であり、行政によって読書推進の取り組みが積極的に実施されるようになった時期と重なる。
赤ちゃんに絵本を提供する取り組みは、1980年代には始まっており、すずらん文庫主催の渡辺順子が1983年に開始した保健所文庫が代表的な例である(7)。しかし、この頃実施されていた取り組みは、行政ではなく、主に個人や民間団体の努力によって実施されていたものだった。海外でもボランティアによる取り組みは多く、それぞれの歴史的文化的背景によってそのあり方は違う。日本の特徴は、母親を中心とする、子どもたちのための読書環境整備に尽力した子ども文庫の役割が大きかった。
2000年に試行的に実施されてから20年以上経つ。初期の頃には、ボランティアに任せていた自治体や０歳児検診での絵本のプレゼントに特化していた自治体も多かったが、試行錯誤を繰り返す中で、フォローアップと呼ばれる継続的なサービスを始めたり、他の行政サービスの案内を併せておこなったりする自治体も増えてきている。
フォローアップの活動をしている自治体、例えば北海道恵庭市(8)では、０

歳児を対象としたブックスタートに加えて、１歳６か月の子どもたちを対象としたブックスタートプラスが実施されている。０歳児を対象とするブックスタートでは、９～10か月の０歳児検診時に検診会場で「ブックスタートパック」が手渡され、絵本２冊と絵本ガイド、図書館の利用者カード申込書、子育て支援機関のチラシなどが、日本のNPOブックスタートのマークであるラッコの絵柄のコットンバッグと共に渡される。ブックスタートプラスでは１歳６か月検診に参加する親子に絵本と親向けの絵本ガイドがプレゼントされる。

奈良県生駒市では、生後４か月までの赤ちゃんのいる家を全戸訪問する「こんにちは赤ちゃん事業」の一環としてブックスタートを実施している。生駒市の特徴は、行政サービスの一環であり、かつ図書館との強い連携がある点である。「こんにちは赤ちゃん事業」では、絵本のほかに絵本ガイドや子育てナビを配布している。絵本に関する情報にとどまらず、子育て関連の行政サービスに関する情報が入手できるのが、その特徴である。

フォローアップも行政サービス情報の提供も、英国のブックスタートでも実施していることであり、ブックトラストの提唱している理念を引き継がれていることがわかる。

しかし、この活動には一定の財源が必要であり、多くの自治体でまだ十分なプログラムは行われておらず、ブックスタートの意義と効果をどのように位置づけ、そのための予算措置をどのように確保していくかが課題であろう。

図３　生駒市のブックスタートパック

4．“すべての”子どもが絵本に出会うとは：読むことと子どもの権利

“すべての”子どもが絵本に出会う、というのは、文字通り誰も取りこぼさないということである。その背景には、すべての人が学習権を持つという理念がある。この理念は、学習権宣言によく表れている。学習権宣言は、1985年の第4回ユネスコ国際成人教育会議で採択された宣言であり、学習権とは次のようなものであると述べている[9]。

学習権とは、
読み書きの権利であり、
問い続け、深く考える権利であり、
想像し、創造する権利であり、
自分自身の世界を読みとり、歴史をつづる権利であり、
あらゆる教育の手だてを得る権利であり、
個人的・集団的力量を発達させる権利である。　　　　（国民教育研究所訳）

学習権の初めに挙げられているのが、読み書きの権利であり、あらゆる学びの土台となると考えることができる。また、この宣言では、「学習権は未来のためにとっておかれる文化的ぜいたく品ではない。それは、生存の欲求が満たされたあとに行使されるようなものではない。学習権は、人間の生存にとって不可欠な手段で」あり、「それは基本的人権の一つであり、その正当性は普遍的である。学習権は、人類の一部のものに限定されてはならない。すなわち、男性や工業国や有産階級や、学校教育を受けられる幸運な若者たちだけの、排他的特権であってはならない」とも述べている。

このことは学びの基本が読み書きの力であり、その開始が家庭での読み聞かせであることから、家庭への支援が欠かせないこと、読み書きができるという

ことがその子の可能性を大きく広げる土台となること、家庭環境の違いにかかわらず子どもたちが同じ権利を享受できるようにする必要があることなどのブックスタートの理念に通じる。

1985年の学習権宣言だけではなく、すでに触れたウォーノック報告や北欧のノーマライゼーションの影響を受けて、出されたサラマンカ宣言（声明）にも注目したい。ウォーノック報告については、すでに触れたとおりである。ノーマライゼーションは、1950年代にデンマークの知的障害者の親の会の運動に関わっていたバンク＝ミケルセン（Niels Erik Bank-Mikkelsen 1919-1990）が提唱した。1969年にスウェーデンのニィリエ（Bengt Nirje 1924-2006）が“ノーマライゼーションの原理”（The normalization principle）を発表したことを契機に広まり，国連の「障害者権利宣言」（1975）の土台ともなった[10]。この「障害者権利宣言」は通称「サラマンカ宣言（声明）」と呼ばれている。

その後2006年には、国連で「障害者権利条約」が採択された。その中の第24条で、教育に関する障害者の権利を実現する新たな枠組みが提示された[11]。

第24条　教育

1　締約国は、教育についての障害者の権利を認める。締約国は、この権利を差別なしに、かつ、機会の均等を基礎として実現するため、障害者を包容するあらゆる段階の教育制度及び生涯学習を確保する。当該教育制度及び生涯学習は、次のことを目的とする。

（a）　人間の潜在能力並びに尊厳及び自己の価値についての意識を十分に発達させ、並びに人権、基本的自由及び人間の多様性の尊重を強化すること。

（b）　障害者が、その人格、才能及び創造力並びに精神的及び身体的な能力をその可能な最大限度まで発達させること。

（c）　障害者が自由な社会に効果的に参加することを可能とすること。

2　締約国は、１の権利の実現に当たり、次のことを確保する。

（a）　障害者が障害に基づいて一般的な教育制度から排除されないこと及

び障害のある児童が障害に基づいて無償のかつ義務的な初等教育から又は中等教育から排除されないこと。

（b） 障害者が、他の者との平等を基礎として、自己の生活する地域社会において、障害者を包容し、質が高く、かつ、無償の初等教育を享受することができること及び中等教育を享受することができること。

（c） 個人に必要とされる合理的配慮が提供されること。

（d） 障害者が、その効果的な教育を容易にするために必要な支援を一般的な教育制度の下で受けること。

（e） 学問的及び社会的な発達を最大にする環境において、完全な包容という目標に合致する効果的で個別化された支援措置がとられること。

3 締約国は、障害者が教育に完全かつ平等に参加し、及び地域社会の構成員として完全かつ平等に参加することを容易にするため、障害者が生活する上での技能及び社会的な発達のための技能を習得することを可能とする。このため、締約国は、次のことを含む適当な措置をとる。

（a） 点字、代替的な文字、意思疎通の補助的及び代替的な形態、手段及び様式並びに定位及び移動のための技能の習得並びに障害者相互による支援及び助言を容易にすること。

（b） 手話の習得及び聾社会の言語的な同一性の促進を容易にすること。

（c） 盲人、聾者又は盲聾者（特に盲人、聾者又は盲聾者である児童）の教育が、その個人にとって最も適当な言語並びに意思疎通の形態及び手段で、かつ、学問的及び社会的な発達を最大にする環境において行われることを確保すること。

4 締約国は、1の権利の実現の確保を助長することを目的として、手話又は点字について能力を有する教員（障害のある教員を含む。）を雇用し、並びに教育に従事する専門家及び職員（教育のいずれの段階において従事するかを問わない。）に対する研修を行うための適当な措置をとる。この研修には、障害についての意識の向上を組み入れ、また、適当な意思疎通の補助的及び代替的な形態、手段及び様式の使用並びに障害者を支援するための教育技法及び教材の使用を組み入れるものとする。

5　締約国は、障害者が、差別なしに、かつ、他の者との平等を基礎として、一般的な高等教育、職業訓練、成人教育及び生涯学習を享受することができることを確保する。このため、締約国は、合理的配慮が障害者に提供されることを確保する。

国際的にも、障害のある人々の学習権を保障する教育制度を確保することが、各国に求められ、英国もそれに伴って、特別支援教育の枠組みを工夫している。この24条でも述べられているように、教育に関する権利の保障においては、点字図書をはじめとし、それぞれのニーズに合う形や媒体による資料の提

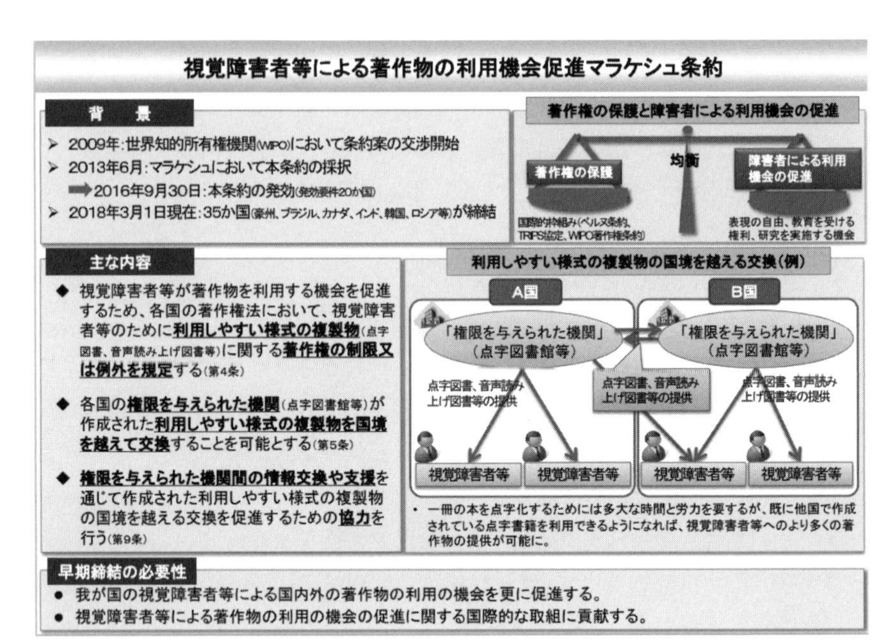

出典　外務省．盲人，視覚障害者その他の印刷物の判読に障害のある者が発行された著作物を利用する機会を促進するためのマラケシュ条約
https://www.mofa.go.jp/mofaj/ila/et/page25_001279.html

図４　マラケシュ条約

供が求められている。読書したり、学習したり、情報を得たりするうえで、“読む”行為は不可欠であり、そのための最適な手段の提供が求められているのである。

これらの権利、すなわち出版物を読む手段を獲得する権利や読書する権利、学習する権利、そして情報にアクセスする権利を保障するためには、著作権の処理も欠かせない。日本も2018年に批准したマラケシュ条約は、視覚障害者、読字障害者、肢体不自由者を対象とする出版物を締結国間で円滑に輸出入できるようにしたものである。

このような法整備や国際条約の締結は、国際的なコンセンサスにつながるだけでなく、実際に権利の保障を実体化するものである。ブックスタートの理念や手段が、本節で述べた学習権をはじめとする基本的な権利の保障と深く関わっているのである。

図5　赤ちゃんの頃に絵本を読んでもらう体験は、その貴重な時間を通して、のちに自立した主体的な読者となることにつながるのである。

5. 結びに代えて

このように、ブックスタートが理念としていることは、英国だけではなく、国際的に共通する考え方である。子どもたちにとっては、このような権利の保障は必要不可欠なものである。ブックスタートも不利な環境に置かれている子どもたちの支援を目的としているものの、乳幼児期の子どもたちの読書環境を整える主体は家庭である。病気や介護、貧困など、さまざまな理由で、家庭における読書環境を整えることが難しい親の支援も必要なのである。これはブックトラストも意識しているが、米国ではファミリーリテラシーという概念のもとに、子どもの読み書きの力を育てるには、家族を一緒に支援する必要があるという視点を持っており、その背景には貧困と非識字の連鎖を断ち切りたい、という思いがある。

そこで、最後に、そのような視点からの取り組みをしている米国のオバマ元大統領が“読む”力を身に着けることについて述べたことばを紹介しておきたい。オバマ氏は、2005年のスピーチで次のように述べた[12]。

読書は、他のすべての学習を可能にする入り口となるスキルです。
複雑な言葉の問題や歴史の意味から、科学的発見や技術的熟達に至るまで、他のあらゆる学習を可能にする入り口となるのです。

そしてまた、次のように語っている。

子どもたち、どんな子どもたちでも、図書館への魔法の敷居をまたぐように説得した瞬間に、彼らの人生を永遠に、そして良い方向に変えることができるのです。これは非常に大きな力です。

子どもたちの“読む”力を育てることが、子どもたちにとってどのような意義を持つのかを改めて考えてみたいものである。

引用文献

（1）Booktrust. Bookstart.
https://www.booktrust.org.uk/what-we-do/programmes-and-campaigns/bookstart/
（2）EURead.　ウェブサイト
https://www.euread.com/global-network-for-early-years-bookgifting/
（3）Booktrust. Bookstart
https://www.booktrust.org.uk/about-us/booktrust-affiliates/
（4）UNESCO Institute for Lifelong Learning. Bookstart, United Kingdom of Great Britain and Northern Ireland. 2012.2
https://uil.unesco.org/case-study/effective-practices-database-litbase-0/bookstart-united-kingdom-great-britain-and

（5）Book Trust　The New Chapter: Our Strategy
https://cdn.booktrust.org.uk/globalassets/resources/misc/the_next_chapter_booktrust_strategy.pdf
（6）Education in England. The Warnock Report (1978)　Special Educational Needs
http://www.educationengland.org.uk/documents/warnock/warnock1978.html
（7）渡辺順子．ことばの喜び・絵本の力―すずらん文庫35年の歩みから．萌文社．2008
（8）恵庭市．ブックスタートとは？
https://www.city.eniwa.hokkaido.jp/soshikikarasagasu/kyouikuiinkaikyouikubu/dokushosuishinka/dokushosuishin/1/3/1321.html
（9）識字・日本語センター．ユネスコ　学習権宣言．
https://call-jsl.jp/therighttolearn/
（10）図書館情報学用語辞典　第５版
（11）外務省．障害者の権利に関する条約．
https://www.mofa.go.jp/mofaj/fp/hr_ha/page22_000899.html
（12）From Obama's speech, "Literacy and Education in a 21st-Century Economy," given to the American Library Association on June 25, 2005.
https://americanlibrariesmagazine.org/bound-to-the-word/

第7章

韓国の受験競争と「教育する母親」

石川　裕之
（比較教育学）

「君達が合格できたのは、父親の『経済力』。そして、母親の『狂気』」。大人気の中学受験マンガ『二月の勝者』（小学館刊）に登場するカリスマ塾講師、「クロッキー」こと黒木先生の有名なセリフである。ところで、お隣の韓国にも似たような言葉がある。「子どもを成功に導く教育の３要素」である。それは第１に「祖父の経済力」、第２に「母親の情報力」、そして第３になんと「父親の無関心」なのだそうだ。長引く不況の中、もはや父親の経済力はあてにならず、頼りは祖父の経済力。一方で父親に求めるのは、余計なことはしないで子どもの教育にただ「無関心」でいてくれること。思わず韓国の父親たちに同情してしまう。

ちなみにここでいう子どもの成功とは、ズバリ、いい大学を出て、いい仕事に就き、いい暮らしをすることである。ソウル大学を出てサムスンなどの一流企業に入ったり、医学部を出て医者になったりといったことをイメージするといいだろう。子どもの成功は親の老後も左右する。韓国では今でも年老いた親を子どもが経済的に支援する習慣があるからである。日本以上の学歴社会といわれる韓国。子どもをいい大学に入れるためには、小さい時から質の高い教育をみっちりほどこし、受験競争に勝ち抜かなければならない。そのために必要なのが、先述した３つの要素なのである。

さて、本章で注目したいのは子どもの成功のカギを握る母親の役割である。なぜ韓国の母親には「情報力」が求められているのであろうか。韓国の母親は子どもの教育に対してどのような役割を果たしていて、日本の母親と比べた場合にどんな点が同じで、どんな点が違うだろうか。そして、そうした違いが出てくる理由は何であろうか。一緒に考えていこう。

1．なぜ受験競争が起こるのか？：教育が持つ意味と目的

（1）人間以外の動物は子どもを教育するか？

さて、いきなりだがここで質問である。この地球上に子ども（ここでは自分の子どもでも他人の子どもでもよしとする）を教育する動物はどれくらいいるだろうか。たとえば、教育的な行動をする動物として有名なミーアキャット。彼らの主食はサソリである。ミーアキャットは子どもに狩りの方法を教えるために、まず子どもに死んだサソリを与える。その次に毒針を抜いた生きたサソリを与え、最後に生きたサソリをそのまま与えるのだという。猫についても同じような話を聞くし、ある種の鳥やアリにも教育的な行動がみられるらしい。しかしこうした行動の多くは、生きていくために必要な餌をとる方法を子どもに教えるためのものである。子どもが自分で餌をとるようになれば、親の教育的な行動もそこで終わる。教育の目的や内容はごく単純で、期間も短い。他人（他動物？）の子どもを教育したりもしないし、もちろん学校もない。

一方で人間はどうだろうか。人間の親は子どもが赤ちゃんの頃から食べ物の食べ方を教え、言葉を教え、やってはいけないないことを教え、行ってはいけない場所を教える。親以外にも祖父母や親戚などが教える場合もある。さらにもう少し大きくなれば習いごとを始めたり、学校に通い始めたりする。教育の場所が家庭以外の空間にも広がっていくのである。その場所で子どもを教育するのは主に他人である。今はほとんどの子どもが高校まで進学するし、さらに半数ほどは大学まで進む。社会に出たあとも会社に入れば社内研修を受けるし、テレビや新聞、インターネットなどを通じていろいろなことを学び続ける。

確かにミーアキャットのように教育的な行動をみせる動物はいる。しかしこの地球上で、人間ほど長い時間をかけて高度で体系的な教育をおこなう動物は他に存在しない。かの偉大な哲学者カントもこういっている。「人間は教育されなければならない唯一の被造物である」と。

（2）家族は何のために子どもを教育するのか？

それでは人間は何のために子どもを教育するのだろうか。1つは子ども本人のため。すなわち一人ひとりの子どもの資質（生まれつきの性質）や能力を伸ばし、それによって子どもに幸せな人生を送ってもらうためである。もう1つは社会のため。すなわち社会で生きていくために必要な知識や技能、道徳などを教え、それによって社会を支える一員となってもらうためである。前者を「教育の個人的目的」、後者を「教育の社会的目的」という。

ここでもう一歩進んで考えてみよう。個人や社会にとってではなく、家族にとって教育が持つ意味や目的とは何だろうか。日本にも韓国にも教育熱心な家庭はたくさんある。ではなぜ親たちは自分の子どもをそれほど熱心に教育しようとするのだろう。もちろん先に述べたように、子どもに幸せになってほしい、立派な社会の一員になってほしいという理由もあるだろう。しかし本当にそれだけの理由で、時には子どもの気持ちをかえりみず、時には自分を犠牲にしてまでも、親たちは子どもの教育に血道をあげることができるだろうか。

この疑問に対しヒントを与えてくれるのが、教育を社会的な事象（ものごとやできごと）としてとらえる教育社会学という学問である。教育社会学では次のように考える。家族にとって子どもを教育する最大の目的は、社会的・経済的な階層の「再生産」、あるいは「上方移動」であると。日本や韓国に引きつけて喩えれば、子どもをいい大学に入れて、いい仕事に就かせ、親と同じか、できれば親以上のいい暮らしができる家庭を築かせるために、親は子どもの教育に力を入れるということである。

ここで重要なのは、どんな国や社会においても高い地位や収入を得られる

「席」の数は限られているという点である。たとえば東京大学やソウル大学の入学定員は限られているし、給料が高くて待遇のいい大企業の社員採用数も限られている。親は子どもがそうした「いい席」をとれるように、あるいは他人に奪われないように、子どもの教育戦略を立てていく必要がある。その結果生じるのが受験競争である。

(3)『二月の勝者』を成り立たせているのは日本の入試制度

子どもが将来よい地位や収入を得られるようにしてあげたい。そのために少しでも高い学歴をつけてあげたい。そう願うのは日本の親も韓国の親も同じであろう。もちろんそのことが子どもを必ず幸せにするとは限らないけれど、少なくとも家族の社会・経済階層を下げずに済む。だからこそ日本にも韓国にも受験競争は存在している。しかし２つの国の受験競争には微妙な違いがみられる。それは競争のルール、すなわち入試制度が違うためである。中学受験をテーマにした『二月の勝者』が人々の関心を引きつけるのは、日本の人々が中学受験競争を身近な問題と感じているからである。ではなぜ日本で中学受験競争が起こるのか。極論すれば、それは中学入試が存在しているからである。その証拠に、中学校入試が存在しない韓国では中学受験競争が起こっていない。「あれ？でも韓国って日本以上に受験競争が激しいのでは？」と疑問を持った読者もいるだろう。確かに不思議である。先に答えをいえば、中学入試がないから中学受験をめぐる競争が起こっていないだけの話で、実は大学受験をめぐる競争は小学校入学時点からスタートしている。次節ではそんな韓国の入試制度と受験競争に焦点を当て、詳しくみていこう。

2．入試をなくせば受験競争はなくなるか？

（1）受験競争をなくすために中学入試を廃止

先に述べたように、韓国には中学校入試が存在しない。「でも、国立や私立の中学校は別でしょ？」と思うかも知れないが、公立だけでなく国立や私立の学校も含めて入試がないのである。なぜ韓国ではそんなことになっているのか。

実は今から60年ほど昔、つまり1960年代までは韓国にも中学校入試があった。しかもこの頃の韓国では中学校がまだ義務教育でなかったこともあり、私立はもちろん公立の中学校でも入試をおこなっていたのである。1960年代の韓国社会は今に比べればずいぶん貧しかったが、それでも朝鮮戦争（1950～1953年）の惨禍を乗り越え国民の暮らし向きが徐々によくなってきていた。もともと教育熱心な韓国人だから、わが子が将来もっとよい生活を送れるように、1つでもランクの高い中学校に子どもを入学させようと、人々はこぞって子どもの教育に力を注ぎ始めた。

その結果、学習塾は大繁盛、なんと小学校の担任にお金を払ってこっそり家庭教師をしてもらうケースまであったという。次第に中学受験競争は熾烈なものとなり、受験生の間に「小６病」と呼ばれる健康障害や神経症が蔓延した。勉強のストレスや疲れをやわらげようと、子どもに鎮痛剤やステロイド剤を与える親も少なくなかった。当時の製薬会社の広告をみると、「入試の恐怖をなくしてくれる薬！」（鎮痛剤)、「課外学習に打ち勝つ体力！」（ステロイド剤）といったコピーが躍っている。今ならネットで炎上まちがいなしだ。この時代の中学受験準備はだいたい小学校４年生くらいから始まったといわれるから、まさに今の日本の中学受験と同じである。この頃の韓国に『二月の勝者』があればきっと大ヒットしただろう。

こうした行き過ぎた中学受験競争は次第に社会問題になっていった。入試問題の正答をめぐって親たちが学校に籠城する事件も起こったし、勉強のし過ぎで小学生の平均身長が縮んだともいわれる。事態を重くみた韓国政府は突如1969年度からの中学校入試廃止を決定した。その後は、私立中学校も含めて教育委員会が抽選で学区内の中学校に入学者を分配する制度になった。中学校入試がなくなった結果、中学受験競争もなくなった。しかしこれにて一件落着、とはいかなかった。中学校入試がなくなればどうなるか。当然ながら今度は高校受験競争が激烈になったのである。それまでの「小６病」に変わって今度は「中３病」が流行した。そこで韓国政府がとった対応は何であったか。勘のいい読者ならもうお分かりであろう。そう、高校入試の廃止である。

（2）入試をなくすとかえって受験競争が激しくなる？

高校受験競争の激化を解消するため、韓国政府は1974年度から高校入試を廃止した。もちろん国立や私立の高校も含めての話である。ただし高校入試については中学校入試のように全国一律廃止とはいかず、対象は高校受験競争が特に激しかったソウルや釜山といった都市部の普通科高校に限られた。専門学科（職業学科）や農村部の普通科、そして科学者やアスリートの養成など特別な目的を持った高校の入試は継続されたのである。こうして都市部の普通科高校では、中学校の場合と同じく、私立高校も含めて教育委員会が抽選で学区内の高校に入学者を分配する制度になった。しかしながら、高校入試を廃止したところで韓国の親たちの教育熱は冷めるはずもなく、当然の帰結として今度は大学受験競争が激烈になった。さすがの韓国政府も大学入試までは廃止できなかった。こうしてできあがったのが現在まで続く韓国の激しい大学受験競争である。

さて、日本以上の学歴社会である韓国では、どの大学に進学できるかがその後の人生を大きく左右する。もしサムスンなど有名大企業の正社員になりたければ、「SKY（スカイ）」と呼ばれるトップ大学を出ておくほうが圧倒的に有利である。SKYとは、ソウル大学（Seoul National University）、高麗大学（Korea University）、延世大学（Yonsei University）の３つを指すが、こうした難関大学に合格するためには綿密な受験準備が欠かせない。しかも中学校入試や高校入試といった区切りがないため、「この高校に入れたからこの大学に行ける可能性はこれくらいあるだろうな」といった自分の立ち位置がはっきりせず、人々の不安は高まる。その結果、大学受験準備のスタート時期はどんどん早まり、今では小学校入学時点から大学入試を念頭に準備を始める家庭も少なくない。韓国では受験競争の激化を理由に中学校入試や高校入試を廃止したが、その結果、中学校進学や高校進学の段階で人々の教育熱を冷ます機能がうまく働かなくなってしまったのである。

次章からは、こうした熾烈な受験競争に挑み、わが子を「勝者」にするため奮闘する韓国の母親の姿を追ってみよう。

３．理想的な母親像

（1）受験競争の「真の主役」は誰？

大人気ドラマ「SKYキャッスル－上流階級の妻たち－」で描かれた韓国の母親の教育ママぶりは衝撃的であり、日本でも放映され話題になった（ちなみにこのドラマのタイトルの「SKY」は、先述したトップ３大学を指す「SKY」のもじりである）。たしかにその姿はドラマ用にディフォルメされたものであったものの、子どもを難関大学に合格させるために家庭の経済力と自らのネットワークを最大限活用して情報を集め、子どもが勉強する内容、場所、時間までを完璧にマネージメントしようとする母親たちの姿は、韓国のどの母親にも当てはまる部分がある。だからこそ「SKYキャッスル」は多くの視聴者（特に母親）の共感を得て大ヒットしたのである。

『二月の勝者』の黒木先生が口にした母親の「狂気」であるが、韓国の母親にしてみれば、子どもの教育に「狂気」に近い情熱が求められるのは当然のことと感じるだろう。韓国で大学受験競争に勝利し子どもを成功へと導くためには、燃えるような教育熱に加えて、どこがよい塾か、誰がよい講師か、どういった講座をどのタイミングで子どもに受けさせるべきかといった情報を収集し、正確に分析する「情報力」が求められる。そのために韓国の母親はママ友やご近所さん、親戚から職場の同僚に至るまで自らの持つネットワークすべてを駆使して教育に関する情報を集め続ける。子どもの教育に対する熱い情熱と冷徹な理性を兼ね備えた母親。子どもの最大の擁護者であるとともにマネージャーであり、受験戦略の参謀であり、司令塔でもある。そんな理想の「教育する母親像」が浮かび上がってくる。「SKYキャッスル」の主役が母親たちだったように、韓国の受験競争の「真の主役」も、実は子どもではなく母親なのかも知れない。

（2）すべてを子どもの教育に捧げる

韓国における母親の役割は、日本のような「情緒発達のための母性」というよりも、わが子によりレベルの高い教育を受けさせようとする、いわば「教育する母親」である点にその特徴があるといわれる[(1)]。今から紹介するのは、ある本で紹介された中学生の娘と母親の物語である。前述したように韓国では科学者やアスリートの養成など特別な目的を持つ高校では例外的に入試をおこなうことが許されている。ただしこうした高校の数は少なく人気も高いので、進学できる者はごくわずかである。ソンジンはそうした名門高校への進学をねらう中学生の一人であった。ある日ソンジンは、名門高校への進学実績がよいと評判の塾の話を耳にした。「ママ、私その塾に通いたい！」。ただしソンジンの家からその塾までは高速道路を使って車で２時間半もかかる。しかし母親はこう即答した。「ソンジン、何があってもママがあなたをその塾に通わせてあげるから」。翌月から往復５時間の塾への送迎が始まった。

大学入試会場の前で子どもの健闘を祈る母親たち
（出所：著者撮影）

ある日の深夜、いつも通り塾を終えたソンジンを乗せて、母親の運転する車は高速道路を自宅へ向かっていた。しかし母親は重なる疲労につい居眠りをしてしまい、次の瞬間二人を乗せた車は中央分離帯に激突した。幸いソンジンは無事だったが、母親は肋骨を３本も折る重傷を負った。医者からは「骨がつながるまで安静にしているように」との忠告を受けた。しかしなんと事故からわずか３日後、母親はソンジンを塾に送迎するため再びハンドルを握ったのである。心配するソンジンをよそに、母親はこう言い放つのであった。「２日も塾を休んでしまって大変！授業がだいぶ先に進んでしまったでしょうに！」。

さて、いかがだったろうか。まさに「狂気」に近い母親の教育熱である。興味深いのは、この逸話が「美談」として語られていることである。著者である塾講師は次のように述べている。「課外学習の現場では、ソンジンの母親のように子どものために献身するすばらしい母親にたくさん出会います。大部分の母親たちは１日のすべての日課を子どものスケジュールに合わせて立てていて、子どもが勉強に集中できるように、やれ食事だおやつだと、すべての世話をするのです。勉強をさぼる子どもを叱るのも母親の役目ですし、よりよい成績がとれるように子どもを励ましモチベーションを高めるのも母親の役目です」(2)。子どもの教育のためならば時には自分の命すら投げ出す献身的な母親像。そこに子どもに対する深い愛情を読み取ることもできる。その一方で、こうした母親の姿が美談として語られることに違和感をおぼえる読者も少なくないだろう。それはきっと私たちが、「自ら望んでわが子の教育に献身する理想的な母親」として語られるイメージの背後に、「正気」を保てないほど追い詰められた母親の悲壮感を感じとるからではないだろうか。

(3) わが子の教育への献身の背後にある抑圧された女性の姿

「良妻賢母(りょうさいけんぼ)」という言葉をご存じだろうか。理想的な女性に対する伝統的なイメージを表す言葉である。つまり女性はすべからく、夫に対しては一歩下がって尽くすよき妻であり、子どもに対しては子育てや教育に励む賢い母親であれということである。そもそもこの言葉は女性が結婚することを前提としており、今となっては死語ともいえるような時代錯誤な言葉である。しかし韓国にもそっくりの言葉がある。その言葉は「賢母良妻(ヒョンモヤンチョ)」。日本と韓国で「良妻」と「賢母」の順番が入れ替わっているのがおもしろい。韓国では女性はよき妻である前に賢い母親であれということなのだろう。こうした言葉にも表れているように、韓国の伝統社会では女性は自己というものを持つことを否定されてきた。女性の人生の意味はもっぱら子どもの成長や成功を通じて実現されてきたのである。

さて、日本の室町時代から明治時代後半にかけて、朝鮮半島には「朝鮮」(1392〜1897年) という王朝が存在した。朝鮮時代、エリート層の高級官僚は「科挙」と呼ばれる試験によって選ばれた。この試験に合格できなければいくら良家の出であってもエリートにはなれなかったのである。科挙は極めて難解な試験であり、これに合格するには幼い頃から労働そっちのけで儒教の経典(もちろんすべて漢文で書かれていた)の勉強に打ち込まないといけなかった。したがってエリート層が自らの地位や収入を代々維持していくためには、子どもをしっかり教育し必ず科挙に合格させる必要があった。朝鮮時代の人々の科挙にかける情熱は、さながら現代の大学入試にかける韓国人の情熱を彷彿とさせる。日本で天下統一を成し遂げた豊臣秀吉が朝鮮に出兵した、いわゆる「文禄の役」(1592〜1593年) の時のエピソードである。当時、日本兵の襲来によって都は大混乱、住人たちは遠くへ避難していた。しかし、こうした中でも国は科挙の実施を決断、逃げ出していた住人たちも科挙が実施されることを耳にするやいなや大挙して都に戻ってきたというから驚きである。命の危険さえも、人々の科挙にかける情熱を止めることはできなかったのである。

科挙合格のために子どもの猛勉強を支えたのが朝鮮時代の母親であり、彼女たちは自分のすべてを捧げて子どもを育て、教育した。子どもが見事科挙に合格すれば一家や一族を繁栄させることができ、反対に合格できなければ一家や一族は没落する。母親は女性としての自己を認めてもらえないばかりか、一家・一族の命運をかけた子どもの教育という重責を背負わされたのである。このような母親の姿は現代の韓国社会においてもさほど変化していないようにみえる。

（4）最も偉大な教育ママ：紙幣の肖像にみる理想的な女性像

再び質問である。現在（2023年時点）の日本の紙幣の中で、唯一女性の肖像が使われているお札は何かご存じであろうか。そう、答えは2004年から発行されている５千円札。使われている肖像は樋口一葉である。おおよそお札の肖像というのはどこの国でもその国が世界に誇れる人物であり、国民が敬意と親しみを持てる人物を選んでいる。したがってお札の肖像に選ばれた女性が誰であるかは、その時代のその国の理想的な女性像を反映したものとみることができる。日本の場合、まだ女性の地位が低かった時代に歌人・小説家として活躍し、自立した一人の女性として力強く生きた樋口一葉の姿に、目指すべき21世紀の女性像を託したのだろう。

さて、韓国のお札の中にも１つだけ女性の肖像が使われている。しかもこちらは最高額紙幣の５万ウォン札（日本円ではおおよそ5,000円相当）である。その名も「申師任堂（シンサイムダン）」。この名前、ほとんどの読者が初耳であろう。しかし韓国では知らない者はまずいない。申師任堂は間違いなく韓国で一番有名な女性の一人である。彼女は朝鮮時代中期を生きた画家であった。しかし画家としてよりも、むしろ韓国史上最も偉大な儒学者とされる李栗谷（イ・

5万ウォン札（見本）
（出所：「韓国銀行券および鋳貨の図案利用基準」に基づき著者が撮影・加工した）

ユルゴク）の母として有名である。申師任堂は子どもたちを熱心に教育し、三男の栗谷をわずか13歳で科挙の一次試験に合格させた。元祖教育ママにして「賢母良妻」の鑑、韓国の全母親の手本とされる女性である。それほど偉大な人物でありながら、韓国の伝統社会における女性の常として彼女の本名は不明である。ちなみに息子の栗谷の肖像は5千ウォン札に使われており、裏側には母親の申師任堂の作品「草蟲図」が使われている。母子そろってお札の顔になるというのも他国にはあまりないケースであろう。

4．「教育させられる母親」と「教育させてもらえない父親」

（1）母親にのしかかる過重なプレッシャー

さて、話を現代に戻そう。朝鮮時代と同様に、現在の韓国社会においても子どもの教育について母親が全責任を負わないといけない雰囲気が存在している。母親の評価は子どもの学業成績と密接に関係しており、いったん子どもの教育に問題が生じればそれは母親の責任とみなされることになる(3)。

以下は、中学生の子どもを持つ母親が親向け教育の専門家に吐露した言葉である[4]。

実際、私は今どこかに逃げてしまいたい気持ちです。子どものことで夫とよく揉めるのですが、私が子どもの勉強にこだわりをみせると夫は「おまえの好きなようにしろ」と全部私に押し付けるのです。私もなるだけ子どもに干渉しないようにしたのですが、子どもの成績がひどい状態になってしまったんです。小学校まではそれなりにいい成績をとっていたのですが、高校に進学する時になってみると普通科にも入れないような成績になってしまって。夫は子どもがどこか名門校に進学すると思っているようで……、本当にどうすればいいか分かりません。

家族の社会・経済階層の再生産や上方移動、つまり世代をまたいだ家族の地位・収入の維持・上昇を目的として子どもの教育に投資する場合、子どもや母親といった個々の家族メンバーの利益よりも家族全体の利益が優先される。儒教的な家父長制の雰囲気が残る韓国の家族においては、その際真っ先に犠牲になるのは母親である。先述したソンジンの母親が賞賛されていたように、韓国では子どもの教育に対する母親の献身を「母性愛から自然ににじみ出たもの」とみなし、肯定的に捉えることが少なくない。しかしその背後には、家族の地位・収入の維持・上昇のための教育戦略の中で自己犠牲を強いられている母親の姿が浮かび上がる。

(2)「父親不在」の教育：早期留学と「キロギ・アッパ」

冒頭で述べたように、韓国で「子どもを成功に導く教育の３要素」は第１に「祖父の経済力」、第２に「母親の情報力」、そして第３に「父親の無関心」とされる。たしかに韓国の書店にならぶ教育書やインターネット上には子どもを名門校に進学させた親の成功談があふれているが、キーワードはもっぱら「ママ（オンマ）」や「母親（オモニ）」である。「両親（プモ、ハクプモ）」という語

子どもを学校に送る母親（出所：著者撮影）

が用いられることはあっても、「パパ（アッパ）」や「父親（アボジ）」が用いられることはほとんどない。子どもの教育について、父親は蚊帳の外におかれ、ただ無関心であり邪魔をしないことだけが求められているのである。先述した中学生の子どもを持つ教育ママの話の中でも、父親は子どもの成績が落ちていることにまったく気づいていなかった。もしもそうした子どもの教育に対する無関心さが、社会や家族によって構造的かつ無意識的に強いられたものであるとすれば、父親もまた家族の地位・収入を維持・上昇させるための教育戦略の中で抑圧されている存在なのかも知れない。

こうした「父親不在」の教育を象徴する現象が「早期留学」である。早期留学とは、小学生・中学生・高校生の年齢にある子どもが外国の学校に６ヶ月以上留学することを指す。親の転勤によって海外の学校に入るケースや夏休みに短期語学研修に行くといったことは含まれない。早期留学の目的は何といっても英語学習である。まだ小さいうちに現地でネイティブなみの英語力を習得すれば、その後の受験競争や就職活動を有利に進められるという親の思惑がある。留学先としてはアメリカやカナダなどの英語圏への留学が多くを占めているが、安価な英語研修プログラムを提供しているフィリピンやマレーシアなども近年人気である。早期留学者が最も多かった2006年には実に年間３万名近くが早期留学していたが、景気の悪化や帰国後に韓国の学校に不適応を起こす子どもの問題もあり、2010年代以降はコロナ禍の時期を除き年間２万名程度で推移している。

早期留学が大学以上でおこなう一般的な留学と異なるのは、義務教育段階

（小・中）での留学が韓国では違法である点と、留学者がまだ幼く海外で一人で生活するのが難しいため母親が同伴するケースが多い点である。子どもの早期留学に母親がついて行く場合でも、通常父親は韓国に残って仕事を続け、海外の家族にせっせと仕送りする。こうして一人残された父親を「キロギ・アッパ」と呼ぶ。「キロギ」とは雁を指し、「アッパ」とは父親を指す。雁の父親は遠くはなれた土地まで一羽で渡り、けなげにも家族に餌を運んでくるという。こうした姿を韓国に一人残って懸命に海外の妻と子に仕送りを続ける父親の姿に重ねたのである。しかし家族愛が強く寂しがり屋が多いといわれる韓国の父親である。妻や子ども恋しさに情緒不安定になり、精神的なバランスを失ったり体調を崩して孤独死に至るなどの悲劇も起こっている。あるいは、母親が現地の韓国人男性と不倫したあげく両親は離婚、果ては一家離散という、何のために留学をしたのか分からないような結末を迎えるケースも少なくないという。

こうした中で明らかになってくるのは、「教育させられる母親」と表裏一体をなす、「教育させてもらえない父親」の存在である。キロギ・アッパの例から分かるように、韓国の父親もまた母親同様に子どもの教育のためにはいかなる犠牲も惜しまない。しかし、あくまで実際に子どものそばに寄り添い、その教育に関与するのは母親なのである。韓国の家族においては、伝統社会から現在に至るまで、子どもの教育に関する性別役割分業意識が極めて強いといえよう。「子どもを教育するのは母親」という規範に、母親はもちろん父親もとらわれているようにみえる。

おわりにかえて：2つのシナリオ

以上、韓国の受験競争と母親の役割に注目し、前半では入試制度を、後半ではそうした入試制度の中で子どもの教育に全責任を負う母親の姿についてみてきた。韓国では教育熱が高すぎるあまり中学校入試をなくし高校入試も制限す

子どもを学校に送る父親（出所：著者撮影）

ることで、行き過ぎた受験競争を抑えようとしてきた。しかしそうした政策がかえって大学受験競争を激化させたり、教育熱を冷却する機会を喪失させるといった副作用を生んでいた。また、韓国では子どもの教育に対する母親の責任が重く、母親たちは過重なプレッシャーに苦しめられていた。そして父親も同様に、家族の地位・収入の維持・上昇のための教育戦略の中で、子どもの教育そのものから疎外されるというかたちで抑圧されていた。

しかし韓国の母親や父親にも希望はある。「東アジア社会調査（EASS）」の2006年調査の結果と2016年調査の結果の比較から、10年の間に韓国で「夫は外で働き、妻は家庭を守るべきだ」といった性別役割分業意識が下がっていることが分かっている(5)。特に高学歴の若い女性は性別役割分業に否定的であり、男女平等の人生モデルを積極的に支持しているという。また、女性の意識の変化と並行して男性の意識の変化も進んでおり、やはり若いほど、そして学歴が高いほど性別役割分業に否定的であるという結果が出ている(6)。性別役割分業に否定的なこうした世代が子育てをするようになれば、子どもの教育に関する性別役割分業意識も低くなっていくかも知れない。

あるいは別のシナリオも考えられる。韓国では近年未婚率が急速に高まっているのだが、男性が結婚しない理由は就職難からくる経済的な不安にある。一方で、女性の場合は結婚を様々な人生の選択の１つとして捉え、他の生き方と比べた上で結婚や出産という選択肢を選ばないケースが増えているという。子どもの教育に重い責任を負わされ苦労するくらいなら、はじめから結婚しない、子どもを持たないという女性が増えていく可能性は決して低くないだろう。つまり結婚したり子どもを産んだりする女性の数が少なくなることで、結果として子どもの教育に過剰な責任を負わされる母親の数や子どもの教育から疎外さる父親の数も少なくなるかも知れないということである。しかしこれはあくまで抑圧される母親や父親の絶対数が少なくなるだけで、その割合が少なくなることを意味しない点に注意が必要である。受験競争における母親と父親の抑圧の問題を根本的に解決するためには、性別役割分業に対する意識の変化とともに、子どもの教育をもっぱら家族の地位・収入の維持・上昇の手段とみなす韓国人の意識や韓国の社会のあり方の変化も求められるだろう。これは実のところ、日本人や日本の社会にもあてはまる課題といえる。

2022年、韓国の出生率は0.78であり７年連続で過去最低を更新した。この世界最低水準の出生率が韓国の家族や受験競争にどのような未来をもたらすのか。そしてその時、母親や父親は子どもの教育に対してどのような役割を担っているのだろうか。そこにあるのは不安と絶望か、それとも新たな可能性と希望か。どうか後者であるよう祈りたい。

引用文献

（1）山根真理「韓国の家族とジェンダー—女性のライフコースと育児援助を中心に—」北原淳編『東アジアの家族・地域・エスニシティ—基層と動態—』東信堂、2005年、84、91

（2）キム・ヒョンジン、パク・ギョソン『誰が何と言おうと私たちは民史高特目高に行く』クルロセウム、2005年、62-64

（3）イ・スクヒョン、ペク・ジンア「早期私教育と母親の役割－家族主義の価値観と階層関連変因を中心に－」『家族と文化』第16集第３号、2004年、208-209

（4）パク・ジェウォン『大韓民国ママさがし』キムヨン社、2016年、9

（5）大阪商業大学JGSS研究センター「JGSSの調査概要（EASS2006/2016統合データ）」https://jgss.daishodai.ac.jp/research/codebook/EASS20062016_frequencytables.pdf、42（2023年５月９日アクセス）

（6）岩井八郎「アジアの家族変動と家族意識—東アジア社会調査（EASS）とアジア比較家族調査（CAFS）からみた多様性と共有制—」『家族社会学研究』第30巻第1号、2018年、146

参考文献

<日本語>

北原淳編『東アジアの家族・地域・エスニシティ―基層と動態―』東信堂、2005年
高瀬志帆『二月の勝者―絶対合格の教室―』第1巻、小学館、2018年
平田由紀江、小島優生編『韓国家族―グローバル化と「伝統文化」のせめぎあいの中で―』亜紀書房、2014年

<韓国語>

イ・ジョンガク、キム・ジュフ『私たちの教育の未来 本当の教育熱で勝負せよ』テヨン出版社、2011年
イ・スクヒョン、ペク・ジンア「早期私教育と母親の役割－家族主義の価値観と階層関連変因を中心に－」『家族と文化』第16集第3号、2004年、201-235
イ・ミエ『初等ママ関係特講』ペクドシ、2020年
キム・ジェグク『私教育1番地！大峙洞ブタママの思い出』ブックラボ、2017年
キム・ヒョンジン、パク・ギョソン『誰が何と言おうと私たちは民史高特目高に行く』フルロセウム、2005年
パク・ジェウォン『大韓民国ママさがし』キムヨン社、2016年
ブンタンガン先生『名門大学に直行する初等勉強戦略書 SKY BUS』タサンブックス、2022年

第8章

北欧、5つの社会の家族政策とジェンダー

青木　加奈子
（家族関係学）

デンマーク、スウェーデン、ノルウェー、フィンランド、アイスランドの5つの国は、ヨーロッパ大陸の北側に位置していることから北欧諸国と呼ばれている。日本では「社会福祉が進んでいる国」「国民の幸福度が高い国」等としてなじみがある人も多いだろう。この5つの国は、歴史的にも文化的にも共通した背景を持ち、福祉政策の進め方も良く似ている。そのため私たちは、この5つの国を「北欧」というひとつのまとまりとして見てしまう。ところが、実際にはこの5つの国には5つの政治的・経済的な立ち位置（スタンス）がある。

本章では、北欧5か国の家族政策、特に育児支援政策に焦点を当てる。育児支援政策の方向性の違いが社会でどのようにジェンダー差を生み出しているのかを、筆者の研究フィールドであるデンマークを中心に考えていこう。

1．「北欧型」の家族政策

（1）さまざまな「福祉国家」

福祉国家比較の第一人者でデンマーク出身の比較政治学者、イエスタ・エスピン-アンデルセン（Gøsta Esping-Andersen）によれば、福祉国家とは貧困、失業、病気、引退といった生活上のリスクにあっても、最低限の生活を保障す

ノルウェー
(2022.3.31更新)
首都　オスロ
人口　532.1万人(2021年)
面積　38.6万㎢
(日本とほぼ同じ)
立憲君主国
(ハラルド5世国王)

スウェーデン
(2022.12.7更新)
首都　ストックホルム
人口　1,045万人(2021年)
※東京都23区の人口より少ない
面積　45万㎢　(日本の1.2倍)
立憲君主国
(カール16世グスタフ国王)

フィンランド
(2023.6.12更新)
首都　ヘルシンキ
人口　553 万人(2021年)
面積　33.8万㎢
(日本よりやや小さい)
共和制
(サウリ・ニーニスト大統領)

アイスランド
(2023.3.2更新)
首都　レイキャビク
人口　36.4万人(2020年)
面積　10.3万㎢
(北海道よりやや大きい)
共和制
(グドゥニ・トルラシウス・
ヨハネソン大統領)

デンマーク
(2023.3.31更新)
首都　コペンハーゲン
人口　581万人(2019年)
(本国のみ. 兵庫県とほぼ同じ)
面積　4.3万㎢
(本国のみ. 九州よりやや大きい)
立憲君主国
(マルグレーテ2世女王)

出典：外務省ホームページをもとに筆者が整理（2023.6.13 閲覧）
※は筆者による補足

図１　北欧５か国の基本情報

る制度を整えた国家のことだと言う。公的な社会サービスのメニューに関係なく、最低限の生活を保障するなんらかの制度を持っている国はすべて福祉国家と言えるというのである[1]。福祉国家といえば北欧諸国というイメージがあるが、それは他の国と比較したときに、北欧諸国の福祉制度が、質・量ともに際立って充実しているように見えるからである。北欧諸国ほどは福祉制度が整備されていないアメリカやアジア等の国々でも、国民の生活を保障するなんらかの制度を持っていれば福祉国家なのである。

エスピン-アンデルセンは、主に1980年代までのデータを用い、欧米の資本主義諸国の福祉国家のパターンを「自由主義レジーム」「保守主義レジーム」「社会民主主義レジーム」の３つに分類した[2]。

「自由主義レジーム」の代表的な社会としてアメリカが挙げられる。ケアの責任は個人にあるとされ、国家としての福祉のあり方は、低負担低福祉である。

国民の社会福祉に対する負担は小さいけれども、なんらかの福祉が必要になったときには国家を頼ることができず個人でそろえていかなければならない。例えば、介護の必要がある人が介護サービスを受けたいとする。サービスを受けるためには、市場に出回る商品から値段やサービスの内容等を考え、その人に適したものを選んで備えていくことになる。介護サービス市場における商品のラインナップは充実すると同時に、サービスの需要と供給が活発に行われるため市場は活性化する。その一方、必要としていても、購買力がなくサービスを購入できない人やサービスの質を落とさざるを得ない人が出てくる。国民の間で経済格差が表れやすい福祉のあり方と言える。

「保守主義レジーム」は、ドイツやイタリアが代表的な社会とされている。社会福祉は職業ごとの組合と結びついている。受けられる社会保障は業種や所属する企業、職位によって変わる。このレジームで想定される家族モデルは、稼ぎ手である夫と家族ケアを任される妻である。ケア役割を期待される女性は社会で働きにくくなり、このレジームの社会では女性の労働力が低くなる傾向がある。ヨーロッパの国とはいえ、性別役割分業が残り、かつ女性が生涯に産む子どもの数を示す合計特殊出生率も低くなりがちである。

「社会民主主義レジーム」に該当するのは北欧諸国である。これらの国では、子育てや介護等ケアの責任は国家が持ち、どのような属性を持っていても、国民は平等に福祉の恩恵を受けられる「普遍主義」の考え方を政策の中に取り入れている。公的な福祉制度が充実しているため、家族や個人が不測の事態におちいってしまっても生活の不安を抱える心配はないが、国家は国民へ、労働と高い納税の義務を求める。当然、稼ぎ手が一人だけでは、税金を納めつつ家族全員の生活費をまかないきれないことから、家庭で家事やケアに専念する専業主婦（夫）にはならずに国民は働き続けていく必要がある。それは家族の中に世話を必要とするメンバーがいたとしても、である。

したがって、「社会民主主義レジーム」の国々は、経済先進国の中でも女性の労働力率が比較的高い。そしてなぜか合計特殊出生率も高い水準にある。

(2)「社会民主主義レジーム」とはどのような社会なのか？

「社会民主主義レジーム」の福祉政策では、介護の責任は家族ではなく国家が引き受けることになっている。ところが未成年の子どもに対しては、実親の養育責任が強く残っている。先ほども述べたように社会民主主義レジームの社会では、性別に関係なく国民は自立できる経済力を持つため、自分の生活を誰かに依存せずにすみ、子どもがいてもカップルがパートナー関係を解消したり、次に出会ったパートナーと新たな関係を築いたりすることが珍しくない。そうすると、子どもと同居する大人が必ずしも子どもの実親とは限らない状況が起こりうる。このような社会の事情から、子どもの養育に対して最終的な責任を果たさなければならないのは子どもの実の両親であることが明確に決められている(3)。したがって北欧諸国の家族政策とは、未成年の子どもがいる家族のための育児支援政策だと言える。

まとめると「社会民主主義レジーム」を採用する北欧諸国では、世話を必要とする子どもがいても、親は仕事を続けていくことが社会システムに組み込まれた社会であり、また、子どもを持つ親たちが、仕事を続けながら子育てができるように国家が中心となって育児支援政策を進めている。この政策では、母親だけでなく父親も子育ての主たる担い手としてみなされていることから、「二人稼ぎ手・二人ケアラーモデル（the dual-earner/dual-carer family model）」と呼ばれている(4)。親たちが、仕事を続けながらカップルで協力して子育てをしていける環境が整っているために、合計特殊出生率が比較的高い数字を維持しているのである。

2．5つの社会の家族政策の違い

（1）5通りの家族政策[5]

前節で解説したとおり、エスピン-アンデルセンの分類によれば、北欧5か国は「社会民主主義レジーム」の福祉国家である。すなわち子どもや高齢者等の世話を必要とする人々のケア責任を全面的に、あるいはその大半を家族や個人ではなく国家が負い、その引き替えにすべての成人が労働の義務を果たすという社会である。このように他国とは一線を画す福祉政策を実施し社会を維持していることから、私たちはうっかり、北欧諸国を「似たような特性を持つひとつのまとまり」と見てしまう。

それでは、「社会民主主義レジーム」に含まれている北欧5か国はまったく同じ政策を行っているのかといえば実はそうではなく、北欧諸国それぞれが5つの方向を向いた家族政策を持っている。ノルウェーの社会学者アーンロウグ・レイラ（Arnlaug Leira）が、1970年代から2000年代のデンマーク、フィンランド、ノルウェー、スウェーデンの家族政策の特徴を整理している。レイラの説明を参考にしながら、まずはこの4か国の家族政策を確認していこう[6]。

デンマークの家族政策の特徴は、「働く母親に対する最強の支援（strong support for working motherhood）」[7]にある。希望するすべての子どもが保育施設を利用できるように施設の整備が進められており、特に3歳に満たない子どもへの保育施設を保障している。一方、法律で定められている育児休業期間は、母親のための4週間の出産前休暇と父親のための2週間の出産後休暇を含めて52週間である。この52週間という期間は、子どもが1歳の誕生日を迎える前に終了してしまう。デンマークの家族政策は、育児休業中の親をできるだけ早くに労働市場へ戻そうとする政策である[8]。

フィンランドの家族政策の特徴は、「二重の子育て路線（the dual childcare

保育施設の庭で遊ぶ子どもたち（2017年11月、コペンハーゲン／筆者撮影）
住宅街の中にある保育施設での一コマ。公園ではなく、施設の庭である。11月下旬の冬のある日、子どもたちは元気いっぱいに駆け回っていた。

track)」[9]と言われている。世話を必要とする子どもがいてもフルタイムで働くことを希望する親に対しては公的な保育施設を保障し、家庭での世話を希望する親へは世話のための手当を支給するという政策である。親はどちらかを選ぶことができる。ただしフィンランドには父親を対象に限定した制度や政策はなく、制度の対象とされる「親」が母親を想定するものとなっていることから、子どもの世話が母親に偏ってしまいがちになる。

ノルウェーは、1993年に世界で初めて「パパ・クォーター制」を導入した国である。「パパ・クォーター制」とは、育児休暇のうち一定の期間を父親に割り与える制度で、割り与えられた休暇を取得できる権利は父親にしかない。制度を利用しないならば休暇は消滅し、育児休業が短くなってしまう。ノルウェーは「パパ・クォーター制」に代表されるように積極的な父親政策を行っているが、一方で伝統的に母性主義が強い一面も持ち、保育施設を利用しない選択をした3歳未満の子どもを持つ親へは、フィンランドのような在宅育児の手当を支給している。そのため子育てが母親に偏る傾向にある。

スウェーデンはここまでみてきた3か国よりも、稼ぎ手と子育ての両方の役割を同時に担う共働きカップルにとって、子育てを分担するのにもっとも先駆的な社会と言われている(10)。スウェーデンには積極的な父親政策を実施する社会として、例えば、1995年にはノルウェーに続き「パパ・クォーター制」を導入しており、母親だけでなく父親も積極的に育児にかかわるしくみがある。母親に対しては公的な保育施設を保障し、育児休業が終わると職場に復帰し仕事を続けられるようにしている。スウェーデンでは、父親であっても母親であっても、両親がともに稼ぎ手役割を担い、子育ての担い手としての役割も引き受けることができる社会システムがつくられている。

最後にアイスランドについても述べておこう。ノルウェー(国立)社会研究所のアネ・スケビック・グルデ(Anne Skevik Grødem)とアクセル・ハトランド(Aksel Hatland)によれば、北欧5か国の中でもっとも最先端で画期的な家族政策を実施しているという。例えば、全体の育児休業のうち3分の1ずつを母親と父親にそれぞれ割り当てており、残りの3分の1は両親でシェアすることができるようにしている。3歳未満の子どもを対象とした公的な保育施設の利用も多い。アイスランドは、スウェーデンと同様かそれ以上に、両親の性別による家族役割に縛られることなく、平等であり、かつ子どもにやさしい家族政策を進めている社会である(11)。

このように見ていくと、「社会民主主義レジーム」としてひとくくりにされることの多い北欧諸国であっても、違いが明らかである。例えば、一見したところ、5か国ともに父親も母親も働き続けながら子育てにかかわれるような政策を実施しているようであるものの、実際には子育ての負担が母親により偏りがちな社会(デンマーク、フィンランド、ノルウェー)もあれば、役割が母親と父親で平等に近づいている社会(スウェーデン、アイスランド)もある。親が家庭で子どもの世話をするか働きに出るかということが政策の中に選択肢としてある社会（フィンランド、ノルウェー）もあれば、公的な保育施設を整備し親（特に母親）が仕事を続けていくことを促している社会（デンマーク、スウェーデン、アイスランド）もある。福祉政策の骨組みは同じ「社会民主主義レジーム」に分類される北欧諸国であるが、掘り下げてみると「５か国５通り」の家族政策がある。

（2）デンマーク型vsノルウェー型？

さて、ここで読者に質問をしてみたい。前項で紹介した北欧諸国の家族政策のうち、あなたがもっとも「良いな」と思った家族政策はどの国の政策だろうか？ あるいは現在の、または近い将来の日本社会が目指していくのに良いモデルとなりそうなのはどの国の政策だろう？ そのように考える理由も一緒に、少し時間を取って考えてみて欲しい。

筆者が京都ノートルダム女子大学で担当している共通教育科目『女性とライフキャリア』の中で、2021年度以降、この問いを受講生に考えてもらっている。５択では選択肢が多すぎるため、「究極の２択」として、どちらがもう一方の選択肢よりもより良い政策か（あるいは日本が目指すべきか）とし、その理由とともに提出してもらう。「究極の２択」であるから、両者の良いとこ取りは「なし」で、どちらの選択肢をより良いとするかを考えてもらっている。具体的な選択肢は次の通りである。

選択肢Ａ：待機児童はなし、育児休業は子どもが１歳の誕生日を迎える前に終了
選択肢Ｂ：育児休業は、子どもが２歳の誕生日を迎えるまできっちり２年間
注：いずれも、育児休業は母親が取っても父親が取っても良いとする。

読者のために、考えるためのヒントを挙げるならば、選択肢Ａは育児休業期間こそ１年に満たないが、休業明けに保育施設を利用できる保障がある。これ

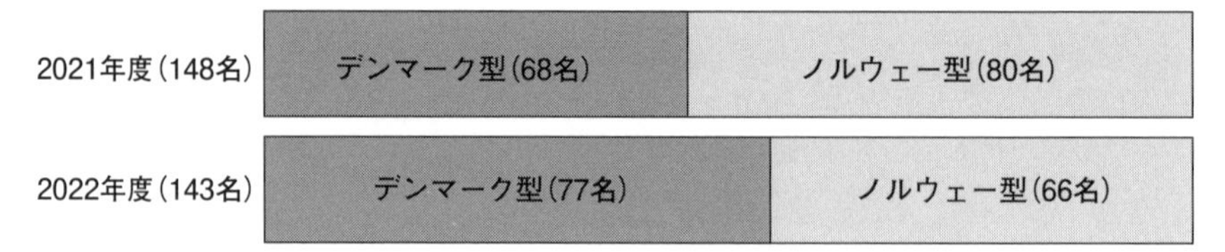

図２ 「デンマーク型」vs「ノルウェー型」

に対し選択肢Ｂは、選択肢Ａよりも長い期間育児休業を取ることができるものの、育児休業明けに保育施設を利用できるという保障はなく、待機児童になってしまう可能性が残されている。受講生にはこれらのヒントは伏せて、選択肢から想像を働かせて考えてもらっている。

2021年度の回答提出者148名のうち、Ａを選んだ受講生は68名、Ｂを選んだ受講生は80名で、この年度の受講生の回答としては、選択肢Ｂ「育児休業は、子どもが２歳の誕生日を迎えるまできっちり２年間」がやや多かった。2022年度は、回答提出者143名のうち、Ａを選んだ受講生が77名、Ｂを選んだ受講生が66名で、2022年度は選択肢Ａ「待機児童はなし、育児休業は子どもが１歳の誕生日を迎える前に終了」をより良いと考える受講生が多かった。単純集計のみとし統計的な処理をしていないため厳密なことは言えないが、この２年間の回答数の差には統計的な差はないと推測する。すなわち、2021年度は選択肢Ｂを選んだ者が多く、2022年度は選択肢Ａを選んだ者が多かったが、どちらの年度も選択肢ＡとＢで拮抗していたということである。実際、受講生の「理由」からは、「選択肢ＡとＢで悩んだけれども…」や「強いて言えば…」と断ったうえで、自身の考えを述べている回答が少なくなかった。

選択肢Ａを選んだ者の理由でもっとも目についたのは、親が仕事に戻るときに待機児童の心配をする必要がないことだった（①）。また、日本で今後、女性がますます社会で活躍するためにはどちらがより良いかという視点から出された回答（②）や、現在の日本社会が抱える生活課題から、どのようにすれば親や子どもだけでなく社会全体にとってもより良くなるか考えられた回答（③④⑤）もあった。

［選択肢Ａを選んだ理由（原文ママ、カッコは筆者による補足。**太字**は筆者によるもの。）］

①**待機児童にはならないという確約がある**ため。Ｂだと２年間の育休が終了し、復職したときに、子どもの預け先があるという保障はないから。

②**長い育休は女性社員の定着にはつながるが、活躍には結びつかない**と思います。育休期間が長いと、（自分が）一番成長する時期を見逃してしまい、自身のキャリアアップの邪魔をしそうで怖いです。（中略）**長い期間育休を取っているとそのまま退職してしまいそう**なので、育休は短い方がいいと思います。

③待機児童がないほうが、**本当に働きたい親が預ける先がなくて仕事に戻ることができないということがなくなる**から。

④Ｂの２年間も夫婦が育休を取り続けて、**その間、少なくとも給料は減る**ため現実的ではないなと感じました。

⑤**核家族化が進む現在の日本では、今後も子育てを両親のみで行う世帯が増えることが予想される。その際、職場のコミュニティーは親の孤立を防止することが期待でき、また、子供が所属するコミュニティーでも親が他の人たちとかかわりを持つことができる。これらのことが、親の孤立や児童虐待を防ぐ要因の一つになることを期待し、私は（a）を選んだ。**

一方、選択肢Ｂを選んだ理由で多かったのは、子どもの成長過程を見ていけること（⑥）や、出産後の母体を整える時間として、あるいは子どもの異変に即時に対応できるようにするためにも育児休業は長い方が良いという回答（⑦⑧）があった。日本社会を考えると、自身の希望とは必ずしも一致しないと書いてくれた⑨の理由も掲載しておく。

［選択肢Ｂを選んだ理由（原文ママ、カッコは筆者による補足。**太字**は筆者によるもの。）］

⑥親からすると、**子どもの成長の過程を見れる**ことだ。それによって父も母も「おや」らしくなると私は考えている。

⑦生まれてから２年間は成長が大変早い。そのため、親の一緒にいたい！気持ちを優先するために、Ｂを選んだ。また、**マタニティーブルーや、親の体調を整えるためにもＢがいい**と思った。

⑧子供に何かあったときに即時対応が出来るから。安定する時期までは親がそばにいるべきだと思う。（中略）**「きっちり２歳まで」ではなく、「最長２歳まで」が個人的にはいい**のではないかと思う。

⑨個人的な視点からは、子供がある程度自我を持つまではそばに居たいと考えているため、長期の育休を希望します。**女性だけが負担するのではなく男性も休暇できるという点から、双方育児を分担し合えるので、個々の負担が軽減すると感じました**。しかし、社会的な視点からはＡの待機児童０という制度が良いと感じました。理由は、近年日本社会は労働力不足に陥っているため少しでも働き手が居た方が良いと考えたからです。

読者のみなさんはどのような回答になっただろうか？

ネタバレをすると、選択肢Ａはデンマークの家族政策を想定しており、選択肢Ｂはノルウェーを想定している。どちらの選択肢にも利点があれば、もう一方の選択肢の方がより魅力的だと感じる点もあっただろう。この「微妙な違い」が、北欧諸国それぞれの家族政策の特性を映し出しているのである。

３．デンマーク型の家族政策

（１）デンマーク社会におけるジェンダー格差

「ジェンダー」とは、社会的・文化的につくられた性のありようのことである。多くの社会では、性別ごとに期待される言動が異なっている。例えば男性性には「腕白な」「力強く」「リーダーシップ」「論理的な」「（弱者を）守る」「男だから涙を見せるな！」が、女性性には「従順に」「おしとやかに」「かわいらしく」「補助的な」「感情的な」「（男性の後ろを）ついていく」がくっついている。進路に迷う女（男）子生徒へ、教師や保護者が「女（男）性だから文（理）系にしてはどうか」とアドバイスするのを聞いたことがないだろうか。これも生徒本人の希望や性格から発言されたというよりは、性別を理由に助言がなされており、ジェンダーの影響を受けた発言と言える。

このように私たちは意識的あるいは無意識的に、所属する社会が好ましいとする性別ごとの規範にしたがって振るまったり発言したりしている。ジェンダーがもたらす差がジェンダー差であり、いわゆる「男女の格差」とは、このジェンダー差であることが多い。ジェンダーが社会によって作り出される性である点で、生物学的な性を示す「セックス」とは異なる。

毎年、世界経済フォーラムは、「経済」「教育」「健康」「政治」の４つの分野から男女間の格差をジェンダー・ギャップ指数（Gender Gap Index）として算出し、総合順位とともに公表している。ジェンダー・ギャップ指数は０～１の間で示され、１に近づくほどジェンダー平等であることを示している。2022年の北欧５か国と日本のジェンダー・ギャップ指数を整理したものが表１である。

2022年の総合ランキングの結果は、対象国146か国中、第１位がアイスランド（ジェンダー・ギャップ指数0.908）、第２位フィンランド（同0.860）、第３位ノルウェー（同0.845）、第５位スウェーデン（同0.822）であり、北欧５か国中デンマークを除く４か国が上位５位以内にランキングしている。この結果から、北欧諸国は世界的に見てもジェンダー平等が進んだ社会とみなすことができる。しかし北欧諸国の中で唯一、ランキングされていないデンマークは、全体の32位（同0.764）だった。全体でみれば比較的上位に位置するものの、他の北欧諸国と比べるとジェンダー平等にかなり遅れをとっている(12)。

なぜデンマークは北欧諸国の中でもジェンダー平等が遅れているのだろうか。ジェンダー・ギャップ指数を細かくみていくと、「教育」と「健康」の分野では他の４か国と大きな差はない。ところが「経済」と「政治」の分野で低

表1　北欧諸国と日本のジェンダー・ギャップ・指数（Gender Gap Index: GGI, 2022年）

	デンマーク	ノルウェー	スウェーデン	フィンランド	アイスランド	日本
総合	0.764（32）	0.845（3）	0.822（5）	0.860（2）	0.908（1）	0.650（116）
経済	0.722（54）	0.765（27）	0.812（5）	0.789（18）	0.803（11）	0.564（121）
教育	0.998（40）	0.989（79）	1.000（1）	1.000（1）	0.993（68）	1.000（1）
健康	0.964（114）	0.964（119）	0.963（124）	0.970（78）	0.964（121）	0.973（63）
政治	0.370（32）	0.662（3）	0.515（10）	0.682（2）	0.874（1）	0.061（129）

World Economic Forum, 2022, *Global Gender Gap Report 2022 INSIGHT REPORT JULY 2022*（https://www3.weforum.org/docs/WEF_GGGR_2022.pdf, 2023年4月13日取得）をもとに筆者が作成．カッコの数字は、対象国146か国中の順位を示す。

い数値となっている。このことは、他の4か国と比べて公的な場面、すなわち政治や経済活動において男性優位な社会であるということを示している。

さらにデンマークでは、政治や経済といった公的な場面だけでなく、日常の隅々にまでジェンダー差が浸透しているという報告もある。デンマークの教育社会学者でジェンダー社会学者でもあるセシリエ・ノアゴー（Cecilie Nørgaard）によれば、デンマークでは、人々は生まれる前からジェンダーの違いを植え付けられ、成長するにしがたいジェンダー差が強化されていく社会だと述べている。例えば、妊娠中に胎児の性別が判明したら、その性別に合わせた子ども部屋を作ったり子ども服を準備したりする。玩具店や子ども服店では、売り場が女/男の子向けではっきりと分かれている。保育所や小学校では、保育士や教員が無意識に子どもたちへ性別に応じた遊びを促している。興味深いことに、デンマーク語そのものが、ジェンダー差の強く残る言語なのだとも言う(13)。

(2)「パパ・クォーター制」は良い制度？

それでは本章のテーマである家族政策ではどうだろうか。ここでは父親の育児休業から考えてみたい。

先ほど述べたように、父親にのみ割り当てられる「パパ・クォーター制」は、世界で初めてノルウェーで1993年に導入された。２年後にはスウェーデンでも導入されており、どちらの国においても現在でも育児休業制度の一部となっている。実はデンマークでも1998年に「パパ・クォーター制」が導入されたが、わずか４年で廃止となってしまった。廃止になった背景には、「パパ・クォーター制」を採用することを決定した社会民主党が、2001年の総選挙で中道右派の政党に敗れ政権が変わったことがある。中道右派政権は、普遍的な福祉政策からの脱却を図っており、その１つとして「パパ・クォーター制」も廃止された[14]。

実はそれだけではなく、廃止の背景には国民の声もあったと言われている。すなわち、両親のどちらがどれだけの期間休みを取るかはカップルが決めることであり、国家が私的領域（プライベート）に介入することではないという国民の態度である。どのようなことかを筆者が行った聞き取り調査の一部をもとに考えてみたい[15]。

聞き取り調査は2016年２月から2018年５月にかけて、コペンハーゲン首都圏に住む小学校へ入学前の子どもを育てるデンマーク人15名に対して行われた。母親が12名、父親が３名で、父親３名は母親とのペアサンプルである[16]。調査に協力してくれた人には「パパ・クォーター制」の内容を説明した上で、デンマークでこの制度を導入した方が良いかどうかと、その理由を尋ねた。

「パパ・クォーター制」は、「良い考え方。男性に育休を取ってもらうのは良い」（３児の母親）と、導入に対して賛成の意見が聞かれたものの、実際のところ導入賛成者はこの１名のみだった。

多数を占めた反対派は、「国が決めるなんて、バカバカしい。自分で決めたい」（２児の母親）と言う。この意見の意図としては、「家庭によって事情はさまざまだから」（２児の母親）や、「父親がとらなかったら育休全体が短くなってしまう。それで損をするのは、結局は子どもだから」（３児の母親）という理由があり、「パパ・クォーター制」のような制度はあっても良いが取れる権利があれば十分であって、国家から強制されたくないと考えていた。

個人としては導入には反対であるが、デンマーク社会の男女平等意識を高めるためには導入した方が良いのではないか、と述べた調査協力者もいた。代表的な意見に「(デンマークには) 男性は育休をとらないという意識があり、取りにくい雰囲気もあるので、これがあれば男性も取りやすくなる」(３児の父親) がある。この調査協力者は続けて、「雇用者側の意識として男女平等という観点 (特に採用時) では賛成する」とも述べた。彼はこの発言の意図を次のように説明している。例えば、採用面接に男女一人ずつが来たとする。企業は、表向きは採用に際して性別による差別はしないと断言していても、実際には、育児休業を長く取ると予想される女性ではなく、女性ほどは長くは取らない男性を優先的に採用してしまいがちになるのではないか、というのである[17]。

「パパ・クォーター制」のように、政策レベルで育児休業の一部を強制的に父親にのみ割り当てる政策を採用すれば、社会全体が今以上にジェンダー平等に近づくだろう。ところがデンマークでは、ジェンダー平等よりも子どもの福祉を最優先に考えた政策を採用している[18]。育児休業を誰がどのくらい長く取るかは個人の判断に任せられており、子どもの福祉が優先される限りにおいて、父母の取得期間の差は重要視されていない。そのため全体的に父親よりも母親の方が長く休みを取りがちとなり、父親が育児休業を取得するための企業努力が遅れたり、「父親が育休を取らないという意識」が改善しなかったりと、社会全体にジェンダー差が残ったままとなってしまう。

もちろん育児休業取得の男女差だけがデンマーク社会のジェンダー格差を生み出しているわけではなく、他にもさまざまな要因が重なっている。ただし、育児休業を誰がどれくらい長く取るかということは、誰がどの程度家事や子育てにたずさわるかということと無関係ではないため、家庭内でのジェンダー差が、結果的に労働市場や政治分野でのジェンダー格差につながっていく。まさに「personal is political (個人的なことは政治的なこと)」である。

以上のようなデンマーク社会の構造が、他の北欧４か国と比較してジェンダー平等が遅れているという結果をもたらしているのである。

（3）おわりに

2022年８月、デンマークでは新しい育児休業制度が始まった(19)。両親のどちらが取得しても良かった32週間の休暇のうち、（父親に割り当てられる２週間の出産後休暇を除いた）９週間ずつを両親それぞれに割り当てるというものである。それぞれが割り当てられた９週間を同時に取得することも可能であるが、そうすると全体の育児休業期間が短くなってしまい、子どもは１歳の誕生日を迎えるよりもかなり早い段階で親から離され、昼間は保育施設で過ごすことになってしまう。それを避けるために、おそらく両親は各自に割り当てられた休業期間をできるだけ重ねないようにして取るのではないかと予想する。父親がこの制度を利用しなければ権利が消滅してしまうことから、この新しい制度はある意味「パパ・クォーター制」の復活とも言える。

この新しい育児休業制度を契機に、デンマーク社会のジェンダー格差に多少の変化が起こるのか、あるいは現状が維持されるのか、今後も注目していきたい。

引用文献

（1）イエスタ・エスピン-アンデルセン、『福祉資本主義の三つの世界 比較福祉国家の理論と動態』、岡沢憲芙・宮本太郎監訳、ミネルヴァ書房、2000.

（2）以下、３つの福祉レジームの説明は（1）と次の資料にもとづく。イエスタ・エスピン-アンデルセン、『ポスト工業経済の社会的基礎―市場・福祉国家・家族の政治経済学』、渡辺雅男・渡辺景子訳、桜井書店、2001:116-127。なお、エスピン・アンデルセンは福祉国家比較を行うとき、「商品化」／「脱商品化」、「家族主義」／「脱家族化」という指標を用いてレジーム分けをしている。詳細は上記２つの資料を参照して欲しい。

（3）青木加奈子、「デンマークの家族政策と親子関係―子どもへの養育義務から考える「親」観―」『福祉生活デザイン研究』、創刊号、2018: 7-15.

（4）Ellingsæter, A. L. & Arnlaug, Leira eds., *Politicising parenthood in Scandinavia; Gender relations in Welfare States*, Policy Press, 2006.

（5）前節で説明したように、ここでの「家族政策」とは未成年の子どもがいる家族を対象とした育児支援政策であることに注意して欲しい。

（6）Arnlaug Leira, “Parenthood change and policy reform in Scandinavia, 1970s-2000s”, in Anne Lise Ellingsæter and Arnlaug Leira, ***Politicising Parenthood in Scandinavia, Bristol***, The Policy Press, 2006: 43-44. 日本語で整理されたものが、クラウス・ペーターセン／スタイン・クーンレ／パウリ・ケットネン編著（大塚陽子／上子秋生監訳）、『北欧福祉国家は持続可能か 多元性と政策協調のゆくえ』（2017年、ミネルヴァ書房）に掲載されている。

（7）Arnlaug Leira, 前掲出: 43.

（8）後述するように、デンマークでは2022年８月より新しい育児休業制度が施行されている。

（9）Arnlaug Leira, 前掲出: 44.

（10）Arnlaug Leira, 前掲出: 44.

（11）アネ・スケビック・グルデ & アクセル・ハトランド,「第10章 家族政策」in クラウス・ペーターセン他編著, 前掲出: 240.

（12）World Economic Forum, 2022, *Global Gender Gap Report 2022 INSIGHT REPORT JULY* 2022（https://www3.weforum.org/docs/WEF_GGGR_2022.pdf, 2023年４月13日取得）.

（13）ノアゴー・セシリエ、『デンマーク発ジェンダー・ステレオタイプから自由になる子育て 多様性と平等を育む10の提案』、さわひろあや訳、ヘウレーカ、2022.

（14）宮坂靖子・青木加奈子、「デンマークにおける育児役割と社会的規範としての情緒的意味づけ―2016年２月予備調査からのインプリケーション―」『金城学院大学人文・社会科学研究所紀要』、金城学院大学人文・社会科学研究所、20、2016: 41-51.

（15）聞き取り調査は、科学研究費補助金「基礎研究」（B）（海外学術調査）「ケアネットワークと家族の親密性に関する国際比較研究」（課題番号 15H05148 研究代表者：宮坂靖子 金城学院大学教授）の研究として行われた。聞き取り調査実施に際して、金城学院大学倫理審査委員会の承認を得た（申請番号第H16006）。

（16）調査概要や調査結果については参考文献に挙げた宮坂靖子編著『ケアと家族愛を問う』を参照のこと。

（17）同様のことは、すでに子どもがいる女性と子どもがいない女性が採用の面接に来た場合の企業側の思惑について語る女性たち聞き取り調査からも聞かれたことである。青木加奈子「女性のライフコースの日本・デンマーク比較―出産・子育て・就業をめぐって」（参考文献に挙げた松岡悦子編『子どもを産む・家族をつくる人類学　オールターナティブへの誘い』pp.295-303）を参照のこと。

（18）大塚陽子「北欧福祉国家とジェンダー平等―デンマークにおけるジェンダー平等の経過

と到達点―」『政策科学』、立命館大学政策科学会、19 (3)、2012: 225-238.

(19) Beskæftigelsesministeriet, "Ny orlovsmodel gælder for børn født fra 2. august 2022" (https://bm.dk/arbejdsomraader/aktuelle-fokusomraader/ny-orlovsmodel-gaelder-for-boern-foedt-fra-2-august-2022/ 2023年5月16日取得).

参考文献

ノアゴー・セシリエ『デンマーク発ジェンダー・ステレオタイプから自由になる子育て 多様性と平等を育む10の提案』、さわひろあや訳、ヘウレーカ、2022.（注13に同じ）

松岡悦子編『子どもを産む・家族をつくる人類学　オールターナティブへの誘い』、勉誠出版、2017.

宮坂靖子編著『ケアと家族愛を問う』、青弓社、2022.

第9章
未婚化社会を生きること

大風　薫
（生活経営学）

この章では、結婚しない人生における生活の変化とその際に人びとが考えるべきことは何かについて論じたい。未婚化が進む日本社会の中で、結婚するかどうかはますます個人のライフスタイルや価値観によって選択されるものとなってきている。その一方で、社会の仕組みは依然として従来の典型的な生き方を想定しているため、人びとの生活の現実とそれを支える制度との間に、今はギャップが生まれてしまっている。独身でいることに対する考え方や生活課題も年齢とともに変化する中で、個人が生き生きと人生100年時代を生きていくためには、何を考え、実行してゆけばよいのだろうか。そのような個人を社会はどのように支えてゆけばよいのだろうか。本章でともに考えてゆきたい。

1．結婚しない人びとが増えている

現代の日本では、多くの人が早期に結婚する皆婚社会を経て未婚化が進行している。未婚化とは、各年齢層で未婚の状態にとどまる人の割合が上昇して、その結果として結婚をしないで生涯を過ごす人の割合が高くなる現象のことである。近年は、法律的な手続きを経ずに実質的な結婚生活を送る「事実婚」もあるが、ここでは、異性カップルが婚姻届けを提出した状態を結婚と考えてゆく。では具体的に日本人男女の未婚率の推移を図１で確認してみよう。

このグラフは、2020年に実施された「国勢調査」の結果をもとに、年代別の

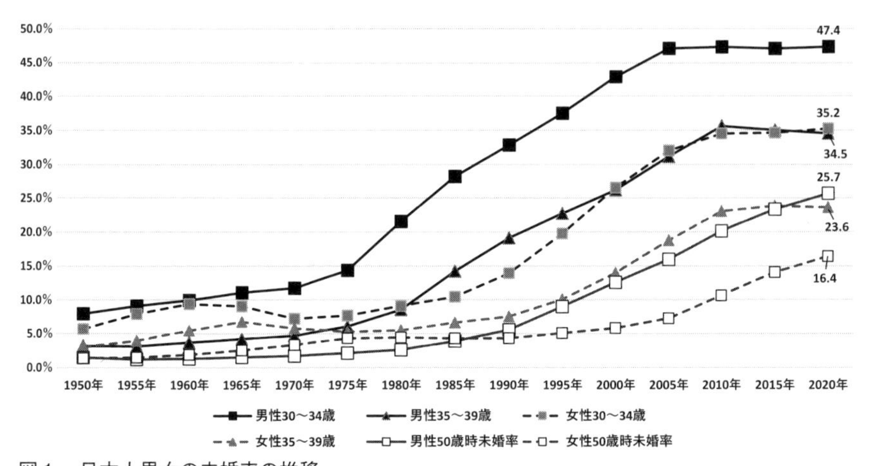

図1　日本人男女の未婚率の推移
（出所：「国勢調査」をもとに筆者作成）

未婚者割合（%）の推移を示したものである。未婚者の割合は、性・年代別に分けている。「国勢調査」とは国が５年に１度実施する日本に住んでいるすべての人と世帯を対象とする国の最も重要な統計調査の１つである。この調査結果により、日本国内に居住する人数、性別、年齢、婚姻関係、国籍、教育や就業状況などが把握できる。調査は世帯単位で行われるため、調査に自ら回答したことがある人も、まだ回答したことがない人もいるだろう。

さて、未婚率の推移の図に戻ろう。グラフの形状を見ると、1975年以降に線の傾きが変わることがわかるだろうか。特に30代前半の男性でこの時期急速に未婚率が上昇している。そして2020年では30代前半男性の約半数が、30代後半男性の３人に１人が未婚である。女性についてはやや遅れて、1990年代以降から未婚率の上昇幅が大きくなり、2020年では30歳代前半の３人に１人、30代後半の４人に１人は未婚である。結婚する年齢が上昇しても大多数の人がいずれ結婚するのであれば皆婚社会は維持される。しかし、同じグラフにある男女の50歳時点の未婚率は、2020年で男性約26%、女性約16%である。一部に例外はあるものの、50歳時点で未婚の人びとは生涯を未婚で過ごす確率が高いため、かつては50歳時未婚率を生涯未婚率と呼んでいた。つまり現代の日本社会では、男性のおよそ３人に１人、女性のおよそ５人に１人が、１度も法律的な結婚をしないで生涯を送っているのである。ではなぜ人びとはかつてのように結婚しなくなっているのだろうか。結婚することに魅力を感じなくなったのか、結婚よりも大切な何かがあるのだろうか。

２．親との同居率が高い未婚者：パラサイト・シングルの発見

結婚しない人びとがなぜ増えているのかを検討する前に、日本の未婚者の居住形態の特徴を見てみよう。図２は、未婚男女、既婚男女それぞれの親との同居率である。一見してわかるように日本の未婚男女の親との同居率は高い。平均初婚年齢付近の30〜34歳では、未婚男女ともに同居率は６割を超え、中年期に入ってからも５割以上の人びとが親と同居している。欧米諸国とは異なり、日本では主に結婚によって離家（親の家を出ること）するといった規範があるため、結婚しない場合は親との同居が継続される。子どものためにできるだけのことをしてあげたいという親心もあり、結婚という家を出るわかりやすい理由がなければ、親もあえて離家をすすめることはない。このように、学卒後も親と同居し、住居を始めとする生活費や家事などの基礎的生活条件を親に依存して暮らす未婚者のことを、山田（1999）はパラサイト・シングルと命名した。パラサイトとは寄生のことで、「親に寄生している」という状態を表す。読者の中には、親と同居するのは当たり前、自然なことでなぜ「寄生」というように良くないイメージで語られるのか、疑問を持つ人もいるかもしれない。しかし、このようなシングルが発見されたのは、日本の経済が好調な時期に実施された調査がもとになっている。その当時は、学校を出て働いていながらも生活費や家事を親に依存し続けることは一人前の大人への移行、すなわち自立ができていない状態とする批判的な見方がなされていた。しかし、その後のバブル崩壊にみられる非正規雇用化の進行や、給与水準が上がらないといった日本経

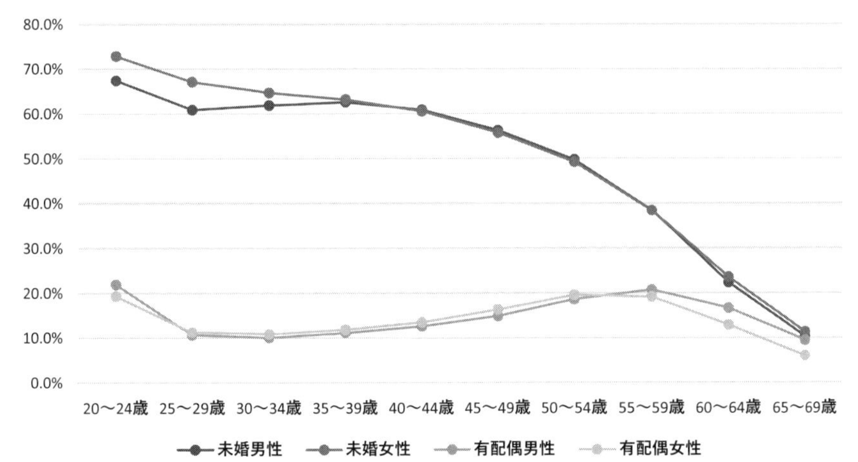

図２　配偶関係・年齢と親との同居率
（出所：「国勢調査」をもとに筆者作成）

済の長く続く停滞期において、現在は、親子の同居は、若者個人の自立意識の問題よりも、経済状態によってむしろ親の家を離れたくても離れられない社会の状況にあることが問題視されている。

３．なぜ人びとは結婚しなくなっているのか

（１）若年未婚者の結婚に対する意欲や結婚・独身に抱くイメージ

国立社会保障・人口問題研究所は５年に１度、18〜34歳の日本人男女を対象に、結婚や子育てなどに関する大規模な調査を実施しその結果を公表している。2022年９月に公表されたもっとも新しい「第16回出生動向基本調査」（以下、出生動向基本調査と表記）の結果から、若年未婚者の結婚・交際に関する考え方を確認しよう。

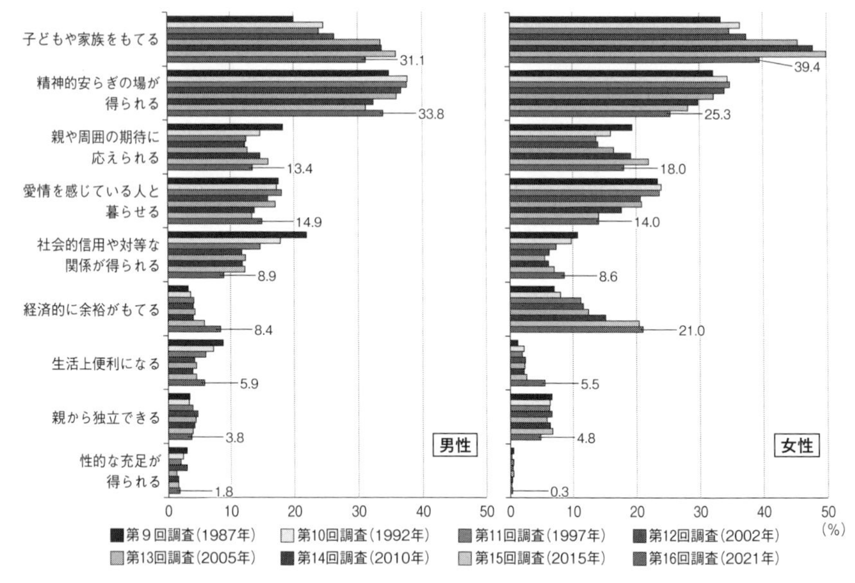

図３　未婚者における「結婚の利点」
（出所：国立社会保障・人口問題研究所「第16回出生動向基本調査」をもとに筆者作成）

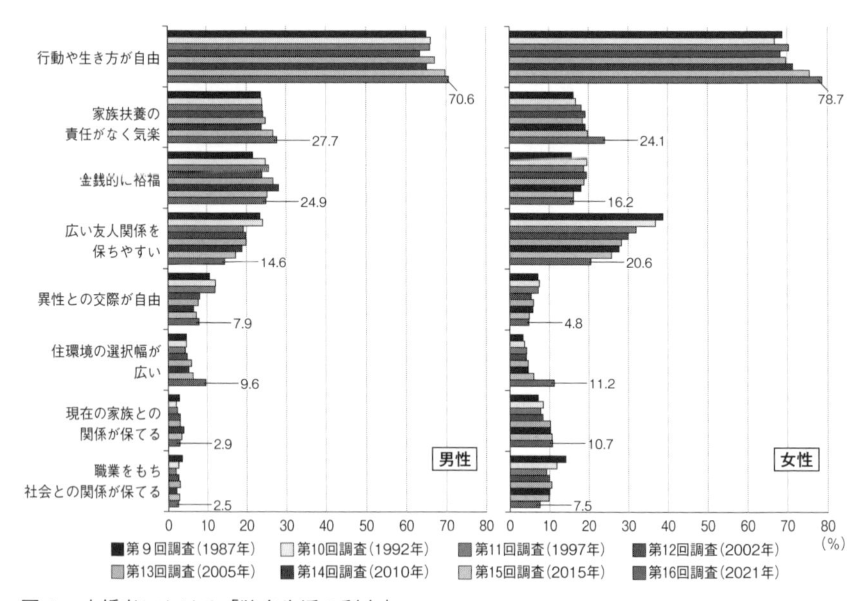

図４　未婚者における「独身生活の利点」
（出所：国立社会保障・人口問題研究所「第16回出生動向基本調査」をもとに筆者作成）

まず、結婚の意思については、８割以上の男女が「いずれ結婚するつもり」と回答している。多数の若者に結婚の意思があるようだが、ほぼ全員に結婚意思があった30年前に比べると低下しており、「一生結婚するつもりはない（非婚）」と回答する割合は、最新の結果で男性約17%、女性15%と上昇している。結婚は自分だけでは決められないイベントであるため、結婚意思があってもしない人もいれば、非婚と考えていてもする人もいる。そのため、この調査結果をもってさらに未婚化が進むかどうかの判断は難しいが、未婚化は今後もある程度まで進むとみなせるかもしれない。

次に、結婚に利点があるかどうかに対する結果を確認すると、男性の６割強、女性の約７割が利点ありと回答している。具体的には、結婚によって、「自分の子どもや家族をもてること」「精神的な安らぎの場が得られること」を利点と考える割合が高い（図３）。さらに、独身の利点については、男性で８割強、女性は９割以上が利点ありと回答しており、具体的には「行動や生き方が自由であること」を評価する割合が突出して高い（図４）。また、割合としてはそれほど高くないものの、「住宅や環境の選択の幅が広いこと」や「家族を養う責任がなく、気楽」と考える割合は増加しており、逆に、「友人などとの広い人間関係が保ちやすい」と考える割合は低下傾向にある。現代の若者は、結婚は家族を得られ、安らぎの場であると同時に、個人としての自由が失われ、家族に対する責任を伴うものと受け止められている。結婚と独身の利点はトレードオフの関係にあるため、いずれを重視するのかによって、結婚を選択するかどうかが変わってくるといえそうである。

（２）未婚化仮説①：女性の自立説

次に、これまでの研究成果から未婚化の原因を整理してゆきたい。まず「女性の自立説」である。この仮説は、女性の学歴が高くなり、経済的に自立できる仕事を持てることで、あえて結婚を選ばない女性が増えた、つまり、女性のライフコース（人生の軌跡）の選択肢が広がったと考える説である。確かに今から50年くらい前の1970年代の高度成長期から1990年代の前半くらいまでの日本には、多数の人が歩む典型的なライフコースがあった。そこでは、男女ともに20代半ばくらいまでに結婚し、２－３人の子どもをもち、同じパートナーと生涯をともに過ごして幸せに暮らし、そのカップルの子どもたちも親と同じような人生を送ることが普通で、当時の女性の結婚適齢期は「クリスマスケーキ」と言われていた（クリスマスケーキは12月25日までしか売れないように、女性も25歳くらいまでに結婚しないと結婚できないという考え方）。このような典型から、女性のライフコースはどのように変化してきたのか、図５で、1990年と2019年の違いを確認してみたい。

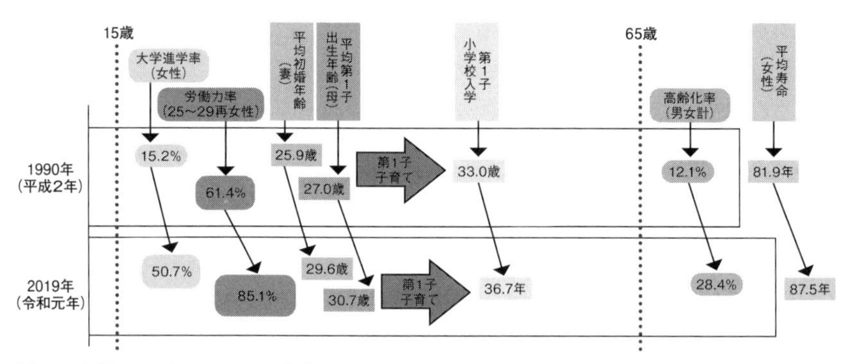

図５　女性のライフコースの変化
（出所：内閣府男女共同参画白書平成28年版Ｉ－特－2図「女性を取り巻く状況の変化」をもとに筆者作成）

２つの時点を比較すると、初婚や出産といったライフイベントを経験する平均的な年齢が上がっていることがわかる。その理由はさまざま考えられるが、大学進学率や労働力率が大幅に上昇していることから、女性が高学歴になることで社会に出るまでの期間が長くなったため、結婚や出産のタイミングも遅くなっていると想像できる。そのような中で、職業面でのキャリアを蓄積した女性の一部が結婚しない人生を歩むようになったこと、つまり「女性の自立説」はあり得る仮説である。1986年に施行された「男女雇用機会均等法」や2016年施行の「女性活躍推進法」によって、働く場での不当な男女差別が生じないような仕組みも整備され、女性が働き続け、キャリアを蓄積することに対するハードルはこの数十年で大幅に低下した。また、働く母親たちが、一手に仕事と育児を引き受けている様子、いわゆる「ワーキングマザーのワンオペ」がメディアを通じて知られるようになっているため、ワーク・ライフ・バランスを維持できない生活よりも、仕事を中心に据える人生により魅力を感じる人がいても不思議ではない。

（3）未婚化仮説②：男性の経済力低下説

この仮説は、稼ぐ役割を期待される男性が、以前よりも安定的な経済的基盤を持てなくなったために、男女ともに結婚を選択しなくなり未婚化が進んだのではないかと考えるものである。男女の役割に対する意識はかつてよりも平等化してきてはいるが、日本社会には依然として、「男性が主に稼ぎ、女性は家庭生活に主に従事する」という性別役割分業意識がある。その意識を多くの人が持っている場合、男性が結婚するには、パートナーや子どもが経済的に困らないような稼得力を持っている必要がある。高度成長期から1990年代前半のバブル崩壊時期までは、男性は正社員として１つの企業に定年まで雇用される身分を得られ、男性もその家族も安定的な生活を生涯送ることができていたため、結婚する際に稼得力が問題になることはなかった。しかしその後、日本経済が低迷し、グローバル化が進行すると、仕事に求められる知識・能力やスキルが急速に変化し、必ずしも男性がすべて正社員として安定的な状態で働くことができなくなってしまった。その中で、経済力に恵まれない男性たちが結婚を選択できなくなったのである。また、女性の視点からも、先に紹介したパラサイト・シングルを想像すれば、経済力の低い男性との結婚は選びにくい。親と同居する生活を続けていれば、自分自身がそれほど稼がなくてもよい生活を送ることができる。しかし、経済力の低い男性と結婚すれば、生活水準が下がる可能性があり、また、生活水準を維持・向上させるためには、女性自身も稼ぎ手にならなくてはならないとすれば、いずれの人生を歩むだろうか。このような難しい選択を迫られる男女が増えれば、男女のマッチングがうまくゆかず未婚化が進む可能性は高い。

（4）未婚化仮説③：出会いの経路の衰退説

結婚の前段階の恋愛に至る出会いの場がなくなってきたために未婚化が進んだという説が出会いの経路の衰退説である。現代の日本では見合い結婚よりも恋愛結婚が望ましいと考える人が多く、実際に恋愛ののちに結婚したと回答する人が圧倒的に多い。恋愛のための重要な出会いの場として、かつては「職場」があったが、その職場での縁が弱まっているのではないかという説である。「職場結婚」が少なくなった理由として考えられるのは、以前の日本企業にみられた「経営家族主義」が衰退したことである。「経営家族主義」とは、経営者は父親のような存在として、従業員を単なる雇用者ではなく、家族のように個人的な生活まで面倒をみるものだという考え方である。従業員は公私ともに企業が面倒をみてくれるため、安心して仕事に邁進でき、従業員がよく働けば会社の力も強くなると考えるわけである。その生活の面倒の中に、職場結婚がある。たとえばこのような場面を想像して欲しい。会社のために長時間働く男性社員は交際する相手を見つける時間がないかもしれないが、職場に独身の女性がいて、仕事を通じてお互いを知るうちに次第に惹かれ合い、恋愛関係に発展し、結婚に至る。周囲もそのようなカップリングを歓迎する。限定的な世界の中で、少ない選択肢の中で知り合ったとはいえ、同じ会社に勤める者同士、相手のバックグラウンドも収入や待遇の水準も事前に把握できることから、リスクの低い恋愛結婚といえる。このような経営家族主義が後退したのは、日本経済の停滞によって企業に余裕がなくなり、人員カットや非正規雇用の女性を増やしたことである。同じ職場にいても、正社員と非正社員には身分差があり、異なる身分間での交流は生じにくいために、職場恋愛から結婚へと至る経路が弱くなってしまったのである。

(5) 恋愛無関心層の増加も？

先に紹介した「出生動向基本調査」の結果として、近年特に注目されているのは、交際相手を持たない男女の増加や、そもそも交際に興味関心を抱かない若者の割合の増加である。調査結果によれば、異性と交際している若年男女の割合は2000年代前半をピークに低下しており、男性で約２割、女性で３割弱である。逆に交際相手のいない男性は約７割、女性は６割台半ばと増加傾向にあり、交際相手がいない人のうち、交際を望まないとする人の割合は交際を望む割合を超え、男女とも３人に１人が特に異性との交際を望んでいないと回答している。一方で日本の若者の多くは、結婚するならば恋愛結婚を望み、恋愛から結婚に至る道筋を希望している。これは、「ロマンティック・ラブ・イデオロギー」と言われ、学術的には「愛と性と生殖とが結婚を媒介とすることによって一体化されたもの」(千田　2011) と説明できる。要は、「(他人によってセッティングされた不自然なお見合いではなく) 自分が好きになった相手と (自然に) 結婚して、その人との間で子どもを作ることが幸せなことなのだ」とする考え方である。未来のパートナーを得るためには、まず恋愛相手を見つける活動が必要になるが、若者たちの交際状況はかつてより低調で、かつ、交際自体を望まない人が増えている。ロマンティック・ラブの成立条件となる交際を望まない人が増えることは未婚化を進めることになるだろう。

調査結果やこれまでの研究をもとに、未婚化が進む要因を検討してきた。読者の皆さんはいずれの説に説得力があると感じただろうか。それぞれの知識や経験によって異なる仮説を支持するかもしれないし、別の仮説を考えた人もいるかもしれない。家族社会学の研究者が現段階でもっとも有力な仮説と考えているのは、男性の経済力低下説である。女性の高学歴化・労働力参加の増加によって結婚相手としての男性へ希望する経済的な水準が上昇したこと、一方で、日本経済の成長が鈍化し、男性の所得上昇率が低下している現実とのミスマッチが、結婚に至る道筋を阻んでいる (筒井 2015) のではないかということである。また、出会いの経路については、ネットでの出会いをきっかけに結婚した割合が急増していることが、「出生動向基本調査」では示されている。新たな出会いの方法が未婚化にどのような影響を与えるのかは、これから注視しなくてはならないだろう。

4．未婚生活を長く続けている人びとは独身生活をどのように感じているのか

先に示した「出生動向基本調査」の結果では、若年期の未婚男女がイメージする独身の利点は、行動や生き方が自由であることであった。では実際に、未婚生活を長く続けている人びとは独身生活をどのように感じているのだろうか。本節では、筆者が参加した、公益財団法人年金シニアプラン総合研究機構主催の研究会で実施した「独身者（40代～60代前半）の老後生活設計ニーズに関する調査」で得たデータの分析結果を見ていく。この調査は、2020年６月に、全国の40～64歳の未婚男女を対象に行ったものである（回答者数2500人、本節の分析結果は40代・50代で仕事についている1791名である）。

（１）独身生活に対する評価

まず、中年期に入った未婚者たちが独身生活をどのように感じているか、分析結果を紹介する（表１　なお、表中の網掛は男女に統計的に差異があったことを表している）。この問いでは、独身生活を19の切り口から評価してもらっている。まず、「結婚しなくてよかった」と考える人と「結婚しておけばよかった」と考える人の割合は２割程度で同程度である。いずれにも回答しなかった６割の人びとは結婚していない人生について、まだ判定ができていないようである。年齢的にまだ生涯を独身で過ごすかどうかの見通しをもっていない人もいるだろう。次に、項目の中で、結婚しない人生を肯定的に考える問いの回答を確認する。結果を見ると、男女ともにもっとも割合が高い「自由に使える時間が多

表1　独身生活に対する評価

	結婚しなくてよかった	結婚しておけばよかった	ライフスタイルを維持できた	一定のキャリアを築けた	家族関係の煩わしさがない	親と同居できた	親と同居で不満	お金を自由に使える	自由に使える時間が多い	食事や健康管理が難しい
男　性 (N=893)	20.8%	21.6%	17.9%	3.7%	15.0%	6.2%	2.4%	30.5%	36.7%	10.5%
女　性 (N=898)	20.4%	21.5%	24.6%	9.5%	24.4%	12.2%	3.9%	30.2%	44.8%	5.6%
計 (N=1791)	20.6%	21.6%	21.3%	6.6%	19.7%	9.2%	3.1%	30.3%	40.8%	8.0%

	偏見を感じる	社会的信用を得にくい	結婚のことを聞かれるのが煩わしい	子どもが欲しい	友人の多くが独身者	残業させられる	同居人の世話と仕事の両立が難しい	資産の相続が心配	老後が不安
男　性 (N=893)	6.4%	4.8%	13.0%	14.8%	4.5%	2.5%	1.2%	6.9%	35.3%
女　性 (N=898)	9.7%	5.9%	18.2%	15.7%	10.4%	5.0%	2.6%	8.6%	41.5%
計 (N=1791)	8.0%	5.4%	15.6%	15.2%	7.4%	3.7%	1.9%	7.8%	38.4%

い」は4割以上あり、3割以上の人が「お金を自由に使える」、2割前後の人びとが「ライフスタイルを維持できた」「家族関係の煩わしさがない」と回答している。「自由な時間」「ライフスタイルの維持」「家族関係の煩わしさがない」ことは、特に女性が男性よりも利点と感じている。平等化が進みつつあるとはいえ、女性が家庭内で果たすべき役割は大きく、その役割から解放される立場の独身生活は、女性により魅力的なライフスタイルになっているようだ。

では逆に、独身で過ごす中で感じる否定的な側面についての結果はどうなっているだろうか。この点については、若年者を対象とする「出生動向基本調査」

では特に聴取されていないが、未婚期間が長くなる中で独身者が感じる不利な点を把握することは、未婚化社会の課題や問題解決の対応を検討する上で重要である。表１の結果を見ると、もっとも割合が高いのは「老後が不安」の４割程度であり、特に女性の割合が高くなっている。この割合は独身生活の利点である「自由に使える時間が多い」とする割合の次に位置することから、独身者にとってより関心の高い項目として注目すべきである。そこでさらに分析を進め、どのようなことが具体的に老後の不安になっているのかを見てみよう。

（２）老後の生活における不安

図６は「老後の生活において不安に感じることはどのようなことか」をたずねた質問の分析結果である。この調査では、老後の生活における不安として12項目をあげて尋ねているが、ここでは、「大変不安に感じる」と「少し不安に感じる」をあわせた割合が７割以上の特に不安を強く抱いている４項目の結果を掲載した。具体的な内容は「自分自身の健康のこと」「生活費のこと」「面倒をみてくれる人がいないこと」「家族に先立たれること」であり、若い年代では想定しにくい内容があがっている。そして、いずれの項目についても、より

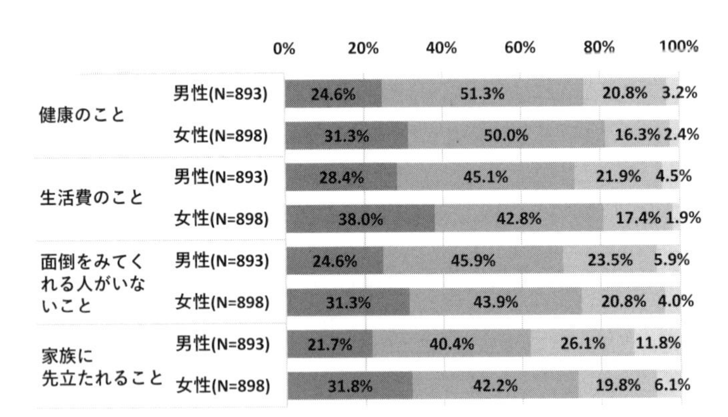

図６　老後の生活において不安に感じること

女性のほうが割合は高い。

個別の項目として「健康のこと」については、確かに、多くの人は加齢による体調変化を経験するため、現在の健康状態にかかわらず今後の懸念が表された結果なのかもしれない。「生活費のこと」については、日本の雇用者の中で平均的にもっとも給与水準が高いのは50代であるため、分析対象者の現在の収入は若い世代よりも高いと想像されるが、定年後の収入水準を懸念しての回答なのかもしれない。特に女性は、たとえ正社員であっても男性よりも給与水準が低いために年金額も低くなる。また、女性は非正規社員として働く割合も男性より高いことから、いっそう、老後の生活費についての心配が大きくなるのであろう。

そして、この結果で特に注目したい点は、「面倒をみてくれる人がいないこと」「家族に先立たれること」という人間関係（ネットワーク）に関連する不安である。日本には子どものいる未婚者は極めて少ないため、未婚者が何かがあった場合に頼れる先は自分が生まれ育った家族に限定されがちである。政府が近年実施した調査でも未婚者の孤独や社会的孤立が問題視されていることを踏まえ、中年期の未婚男女が誰を頼りにしているのか、分析結果を見てゆこう。

表２は、現在および老後において、頼りにできる人は誰かという問いの結果を示したものである。「経済援助」「病気のときの援助」「悩みを聞いてくれる」それぞれについて、現在と老後に誰が頼りにできるかを回答してもらっている。表中には、父親、母親、兄弟姉妹、友人、および頼れる人がいない割合を示している（質問では頼れる相手として、親族、職場の同僚、地域・近隣の人なども尋ねているが、ほとんど回答を得られなかったため、それらの結果は表記していない）。まず目につく特徴は、いずれの内容についても「いない」と回答する割合が、現在・老後とも高いこと、またこの頼れる人が「いない」割合は、現在よりも老後に一層高くなることである。配偶者のいる人を対象とした各種調査の結果では、頼れる人として配偶者をあげる人が多いが、それは逆に、多くの人びとにおいて配偶者以外に頼れる人がいないことを表している。未婚者の頼れる人は、生まれ育った家族として自分の親かきょうだいになるが、きょう

だいは別居していたり、きょうだい自身の家族をもっていたりすれば、頼る相手になりにくい。自分より年配の親を老後に頼ることはなおさら難しい（むしろ子どもとして親から頼りにされることが多くなる）。よって、結果として頼れる相手がいないという回答が多くなり、その傾向は男性独身者に多く見られる。

表２　現在と老後に頼りにできる人

		現在					老後		
		父親	母親	兄弟姉妹	友人	いない	兄弟姉妹	友人	いない
経済的に頼れる人	男性（N=893）	17.4%	15.0%	4.5%	0.6%	61.6%	9.9%	0.6%	87.0%
	女性（N=898）	22.6%	24.8%	9.1%	0.9%	40.6%	18.2%	1.1%	76.3%
病気のときに頼れる人	男性（N=893）	4.3%	25.4%	4.9%	0.9%	61.9%	10.4%	0.8%	85.6%
	女性（N=898）	4.8%	35.5%	12.1%	2.8%	42.7%	19.5%	2.1%	72.7%
悩みを聞いてくれる人	男性（N=893）	3.5%	11.5%	5.3%	10.1%	65.4%	8.4%	8.0%	79.7%
	女性（N=898）	2.2%	18.6%	9.9%	24.5%	38.0%	14.1%	23.2%	55.9%

以上、未婚者たちは健康面、経済面、人間関係の面で老後の不安を抱えやすく、頼れるネットワークが加齢によって小さくなっていくことを確認してきたが、頼れるネットワークが小さいことは、未婚者たちの生活にどのような影響を及ぼすのだろうか。先行研究では、配偶者や子どものいない人は、車や家などの大きな買い物や子どもの教育費などを想定する必要がないため、生活設計が遅れがちになることが指摘されている。老後に頼れるネットワークが小さいのならば、なおさら生活設計を早めに考え始める必要があるが、実情はどうであろうか。

（3）頼れるネットワークと生活設計

図７・８は、頼れる人の有無と生活設計を考えているかいないかとの関連を男女別に分析した結果である。男性の結果（図７）を見ると、経済的に頼れる人がいる人は74%の人が老後の生活設計を考えているが、頼れる人がいない場合には約57%になり、頼れる人がいない場合には生活設計を考えていない傾向がみられる。病気の時に頼れる人がいる場合には75%の人が生活設計を考えているが、頼れる人がいない場合は約53%になる。悩みを聞いてくれる人についても、同様に、頼れる人がいる人に比べていない人の生活設計を考えている割

		老後の生活設計考えていない	老後の生活設計考えている
経済的に頼れる人	いない(N=116)	43.1%	56.9%
	いる(N=777)	26.0%	74.0%
病気のときに頼れる人	いない(N=129)	47.3%	52.7%
	いる(N=764)	25.0%	75.0%
悩みを聞いてくれる人	いない(N=181)	45.3%	54.7%
	いる(N=712)	23.9%	76.1%

図７　頼れる人の有無と老後の生活設計（男性）

		老後の生活設計考えていない	老後の生活設計考えている
経済的に頼れる人	いない(N=213)	43.7%	56.3%
	いる(N=685)	32.8%	67.2%
病気のときに頼れる人	いない(N=245)	47.3%	52.7%
	いる(N=653)	30.9%	69.1%
悩みを聞いてくれる人	いない(N=396)	46.0%	54.0%
	いる(N=502)	27.1%	72.9%

図８　頼れる人の有無と老後の生活設計（女性）

合は低い。図８の女性についても男性と同じ傾向を示している。つまり、つながりの小ささが、恐らくその人の持つ情報の量や質に影響し、生活設計に対する意欲を低下させ、生活上のリスクを一層大きなものにしている可能性があるのである。

本節は、40代・50代の未婚者たちが、独身生活を継続する中で感じている独身の利点と不利について、４つの分析結果を示した。若年期を対象とした「出生動向基本調査」からでは把握しにくい、中年期ならではの独身生活のとらえ方があること、また、特に老後の未婚者の問題として、彼ら彼女らを支えるネットワークが小さくなること、さらにネットワークの有無が生活設計と関連していることもわかった。これらの結果を踏まえて次節では、結婚しないというライフスタイルにおいて、人びとが充実した生活を持続するために、何を整え考えてゆく必要があるのかについて検討し、本章をしめくくりたい。

５．未婚化社会を生きる私たちが考えるべきこと

読者の皆さんは、結婚しない人生についてどのようなことを考えられただろうか。やはり結婚はしたい、結婚は重要だと思う、結婚に積極的ではなかったが、老後のことを考えると結婚したほうがよいのか、しかし、自分なりのライフスタイルを諦めても結婚すべきなのか、色々な感想を持たれたと思う。確かに結婚制度はこれまで人びとの生活を守る重要な仕組みの１つであった。近年は結婚のメリットを愛情や安らぎと考える人は多いが、婚姻関係にある男女は経済的なメリットを得ることが可能であるし、配偶者はいざというときの支え手にもなる、生活リスクの低減手段とも考えられる。結婚することそのものが生活設計ともいえるため、結婚しない自由と独身のリスクとのトレードオフは悩ましい。しかし、人生の多様化が進み、個人がライフスタイルを自由に選択できる社会に変わりつつある現在においては、人びとが自由に生き方を選べることがやはり重要であり、私たちが考えるべきは、ある特定のライフコースを

歩む人に不利が生じる状況を見直し、改善してゆくことではないだろうか。その意味で、今後の未婚化を踏まえて、カップルで生きることを前提とした日本の諸制度については見直す必要があるだろう。

また、本章は一度も法律的な結婚をしていない未婚者に焦点を置いてきたが、仮に結婚したとしても、離婚する人もいれば、高齢期に配偶者と死別する人もいる。長寿化社会においては、どのような婚姻関係にあった人も一定の期間は単身で生活することは避けられず、人生のいずれかの時期に何かをきっかけにネットワークが縮小する可能性はある。ネットワークの縮小は、孤独や孤立につながりやすいことは言うまでもなく、さらに、本章でみたように生活設計ができなかったり、健康状態や寿命にも影響するという研究成果もある。イギリスでは2018年に孤独問題担当大臣が任命され、「政府における政策の立案において、つながりの強化を考慮すること」が目標の１つに掲げられた。日本でもコロナ禍による孤独感の深まりに対応すべく2021年２月に孤独・孤立対策担当大臣が任命されるなど、孤独や孤立問題に対する社会の関心は高まりつつある。

本章は未婚化が進む日本の現状を確認し、その原因を整理した上で、未婚者を対象とした調査の分析結果によって、未婚者が抱える老後の不安、ネットワークの縮小とその生活設計との関連を示した。フォーカスした対象は未婚者ではあるが、ネットワークの質や量と生活との関りは、誰にとっても他人事ではない。従来の社会は結婚制度や家族形成が人びとの生活を支えてきた。未婚者を始めとする単身者が増加する社会では、家族以外にもつながり合う、助け合う仕組みの構築が重要となる。つながりの問題、孤独や孤立の防止は、誰にでも関連する問題であり、皆で考え、よりよい方向へ行動すべき問題といえる。

謝辞

第４節の分析に使用したデータは、公益財団法人年金シニアプラン総合研究機構に使用の許可をいただいた。ここに記して、深く感謝する。

引用文献

千田有紀（2011）『日本型近代家族―どこから来てどこへ行くのか』勁草書房
国立社会保障・人口問題研究所（2022）「第16回出生動向基本調査　結果の概要」（https://www.ipss.go.jp/ps-doukou/j/doukou16/JNFS16gaiyo.pdf　取得日2023年３月31日）
筒井淳也（2015）『仕事と家族　日本はなぜ働きにくく、産みにくいのか』中央公論.
山田昌弘（1999）『パラサイト・シングルの時代』ちくま書房.

参考文献

石田光規（2011）『孤立の社会学　無縁社会の処方箋』勁草書房.
大風　薫（2022）「現代日本における未婚化・晩婚化の実態および研究の現状と課題」『生活環境研究』No.5：11-20.
山田昌弘（2014）『「家族」難民　生涯未婚率25%社会の衝撃』朝日新聞出版.
山田昌弘（2019）「独身者の生活実態」『家族社会学研究』31（2）：150-159.

第10章

食は命をつなぐ生命のリズム

藤原　智子
（食生活学）

地球上の生物は皆それぞれの生体リズムを有しているが、地球の自転周期である一日と比べてわずかな“ずれ”が存在する。一日あたりはわずかな“ずれ”でも、我々の生活においてそれが日々積み重なっていくと、やがて心身に不調をきたすようになる。近年の交通手段の進歩によって、人類は地球の自転を無視して一日を30時間以上延ばすことも可能にした。その結果、海外旅行ではしばしば時差ぼけという不愉快な経験を強いられている。

海外旅行はともかく、普段の生活のなかでは、健やかに生きるために、この約一日の生体リズムと24時間の地球の周期の“ずれ”を毎日リセットすることが求められる。そのとき、鍵となるのが「光」と「食事」である。心地よい目覚めのためには夜の暗闇と朝の光が重要であることはよく知られている。また、一日のパフォーマンスをあげるために朝食を食べることも推奨されている。

さらに、生殖可能な時期の女性は、約一ヶ月のリズムの月経周期も体験する。実はこのふたつには密接な関係があり、これらを結ぶ鍵にもまた「食事」が大きく関わっていることが明らかになってきた。

食べることは、極めて個人的な行為であるけれども、その繰り返しによって生まれる適切な身体のリズムが次世代を育む力に影響する可能性がある。このことについて科学的な背景をふまえて提言してみたい。

1．生体リズムと月経周期

（1）様々な生体リズム

私たちには暑いときに汗をかき、寒いときには身体を震わせて体温を一定に保とうとする機能が備わっているが、これは恒常性（ホメオスタシス）の維持、すなわち生体に何か起こったときに元の状態に戻そうとするシステムによる。生物はこのような体内環境の恒常性を保つために、自然界の周期的な環境変化に呼応して生体リズムを刻んで環境に適応しており、さらに環境の変化に追従するだけでなく周期的な変化を予測し、予め体制を積極的に整える機能も持ち合わせている。一日のなかで体温は早朝が最も低く、次第に上昇して夕方に最も高くなるが、体温の上昇と共に目覚め、下降に伴い眠くなるのはこの機能のひとつの例であろう。

生体リズムには季節リズム、月周リズム、日周リズム、超短日リズムなどがあり、すべての生体機能はこれらのリズムの影響を受けて営まれていることが知られている。たとえば、レム（REM:Rapid Eye Movement）とノンレム睡眠のサイクルは超短日リズムに属する生体リズムを構築している。一方で日周リズムは一昼夜を周期として現れるリズムで「体内時計」として広く認識されており、約24時間周期であることから概日リズム（サーカディアンリズム）ともいう。サーカディアン（Circadian）とは1959年にHalbergが提唱したcirca（about）とdies（day）とからなる造語で、約１日という意味である。単細胞生物を始め、植物、動物のすべての生物に認められる24時間±αを周期とするリズムで、ヒトの場合は20歳代で約25時間のリズムが刻まれるが、加齢とともに少しずつ短くなり、60歳代で地球物理的な周期である24時間にほぼ一致すると考えられている。それぞれの生物は24時間周期で変化している光や温度等の環境因子に同調することによって、体内から自発的に発信される周期とのずれを修正し、正確に24時間のリズムを刻む体内時計を持つことができ、日周リズムを形成していくのである。

日周リズムを作る中枢時計遺伝子は脳内視交叉上核にあり、朝の光を浴びることによって時計の針を24時間に設定する。一方、小腸や肝臓などほとんどの内臓組織と脳内視床下部背内側核には中枢時計遺伝子の影響を受けながら周期的に代謝を変動させる末梢時計遺伝子があり、これは朝食を食べることによって毎日時計の針を合わせている。こうして中枢時計と末梢時計が同調し、同じ周期で働くシステムにより、心身の諸活動は制御されているといえる。このようにして生命現象は成長発達も加齢も時間との関わりの中にある。

一度形成されたリズムは急激な環境の変化にあっても数日間は維持される。しかしながら、朝食欠食や夜更かしなどの不規則な生活が長期的に繰り返されて中枢時計と末梢時計が同調しない状態が継続すると、体内時計は正常にリセットされず、乱れた生体リズムによって心身の不調を引き起こすこととなる。

（2）月経周期のメカニズム

ヒトの月経周期は視床下部—下垂体—卵巣系の相互作用によって調整されており、月経期、卵胞期、排卵期および黄体期からなり、約28日間の周期で繰り返し起こる。

月経周期を中心となって制御する視床下部は脳の中心あたりに位置する間脳に属しており、食欲や睡眠をはじめ生きていくために必要な本能の司令塔でもある。体内時計のうち中枢時計が存在する視交叉上核も視床下部のひとつの領域である。

また下垂体は視床下部の直下にぶらさがるように存在する小さな器官で、前葉と後葉の二つの部分からなる。下垂体は視床下部に存在する様々な神経細胞からの命令を受けて数種類のホルモンを分泌し、甲状腺、副腎、卵巣や精巣などの性腺を含めた様々な器官に作用を及ぼして生体の成長や機能維持に働く。

よく知られている成長ホルモンも下垂体前葉から分泌されるホルモンのひとつである。

ヒトの月経周期の制御機構について少し詳細に説明すると、まず、視床下部の神経細胞から性腺刺激ホルモン放出ホルモン（Gn-RH：Gonadotropin-releasing hormone）が律動的に分泌される。このペプチドホルモンが下垂体門脈を介して下垂体に至るとその刺激で下垂体細胞から性腺刺激ホルモンである卵胞刺激ホルモン（FSH：Follicle-stimulating hormone）と黄体化ホルモン（LH：Luteinizing hormone）がGn-RHのリズムに沿って律動的に分泌されて全身の血流を介して卵巣に至り、卵巣内の卵胞の発育が促進される。最近では視床下部内でGn-RH分泌を制御する因子としてキスペプチン（kisspeptin）が重要であることが知られている（図１）。

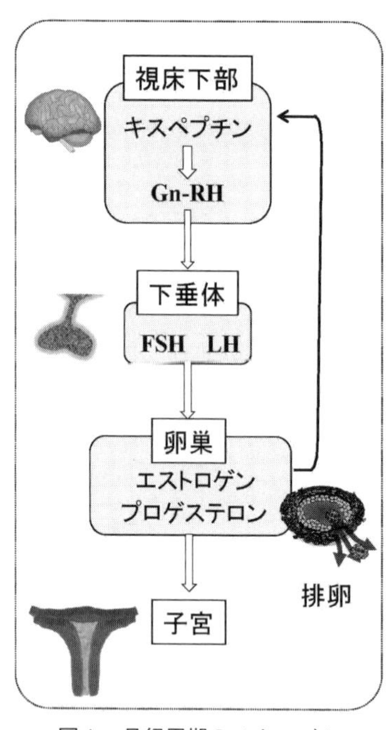

図１　月経周期のメカニズム

一方で卵巣の中で卵子は排卵まで複数の細胞に囲まれて存在している。卵胞とは卵子とこの卵子を取り囲む細胞をまとめて呼ぶ名称である。１個の卵胞には１個の卵子が入っており、卵巣は表面に近い皮質層に多数の卵胞を有している。卵子は胎児期にはすでに出現するが、原始卵胞と呼ばれる状態にあり、当然のことながら受精能力は無い。その数は約700万個で、出生時には200万個、思春期を迎える頃には20〜30万個になるとされ、成長とともに減少する。思春期まで多くの卵胞は原始卵胞のままで発育を休止している。

思春期になると卵巣内の卵胞は発育を開始し、原始卵胞から前胞状卵胞、胞状卵胞へと育っていく。発育が促進された卵胞からはエストロゲン（女性ホルモン）が分泌され、その作用で子宮内膜は増殖する【卵胞期】。胞状卵胞の中でひとつだけもっとも大きく育った卵胞が「主席卵胞」としてエストロゲンをさらに分泌し、その血中濃度がピークに達すると視床下部の神経の活動を亢進してGn-RH分泌を促進させる（正のフィードバック）。その結果、下垂体から大量のLHの律動的な分泌（LH surge）が起こり、排卵が誘発され卵が卵胞外へと排出され【排卵期】、精子との接合（受精）によって新しい生命である受精卵が誕生し、胚へと発生しながら卵管を移動して子宮に至る。

他方で排卵した卵胞からは黄体が形成され、大量のプロゲステロン（黄体ホルモン）が産生される。このプロゲステロンの作用により子宮内膜は胚が子宮に着床できる状態、すなわち妊娠に適した状態へ変化する【黄体期】。

胚の着床が成立した場合は、LHと類似の構造をしたhCGホルモン（human chorionic gonadotropin）が胚から分泌され、そのLHと同様の作用によって黄体はさらに妊娠黄体へと分化し、プロゲステロンの分泌を継続して胚の着床を維持する。一方で妊娠が成立しなかった場合は、黄体機能は14日で消失し、プロゲステロンの産生が低下するに伴って子宮内膜は剥離して月経が発来し【月経期】、次の卵胞発育に移行して月経周期を形成する。

2．月経異常

（1）月経周期異常

月経周期異常は正常な若年女性によく見られる生理的な症状の一つである。視床下部と下垂体におけるエストロゲンの正のフィードバック機構は思春期に発達するため、生殖機能が未成熟な初経後の数年間は、一般的に月経周期は不規則であり、黄体期のプロゲステロン分泌にも不足傾向が見られると報告されている[1]。初経後４年を経ても25-50％が排卵を伴わない出血、すなわちプロゲステロン作用を介さない無排卵性出血であるという報告もある[1]。
一方で月経周期の異常は病的な視床下部—下垂体—卵巣系の機能不全を示す徴候でもあり、例えば栄養の不足によって一時的な生殖機能の低下をきたすことが知られている。様々なストレスにより視床下部に抑制がかかると、卵胞の発育が阻害され、月経周期異常が生じる。このような病的な抑制は過剰なダイエットなどの不適切な食習慣や過度の運動などのストレスでも誘発される[2]。

（2）月経困難症

いわゆる月経痛（生理痛）のような月経期間中に起こる病的な症状のことを月経困難症という。月経困難症は、ホルモンバランスの異常に伴う機能的なものと子宮内膜症などの器質的な婦人科疾患に起因するものとに分類される。
機能性月経困難症は主に過度な子宮収縮によって引き起こされ、その原因は通常、卵巣のホルモン分泌不全に由来する。思春期では、生理的にプロゲステロンの産生が未熟な傾向があり、その結果、子宮筋の収縮を誘発するプロスタグランジンや炎症を引き起こすロイコトリエンの子宮内局所での産生が亢進されて、月経時の痛みを伴う過剰な子宮収縮が誘発される[3]。
一方で器質性月経困難症は、子宮筋腫、子宮腺筋症および子宮内膜症などの疾患に付随する月経痛である。中でも子宮内膜症は若年女性にとって将来の妊孕性（にんようせい）（妊娠する能力）の確保に問題となる疾患である。子宮内膜症は剥離した子宮内膜組織を含んだ月経血が卵管を通して腹腔内に逆流し、異所性に腹膜や卵巣内に子宮内膜様組織が発生したと考えられている。月経のたびに病変が拡大し、腹腔内に炎症と癒着を引き起こして臨床的に不妊症の原因になる。現在、子宮内膜症の増加と若年化が大きな問題となっている。裏を返せば、若年女性にとって月経痛は器質的な婦人科疾患を示唆する重要な医療情報となる。

3．食生活習慣と月経異常

（1）朝食欠食の影響

朝食欠食の影響に関しては、記憶力や学業成績との関係、疲労感などの不定愁訴や便秘の原因となること、さらには朝食欠食による生活リズムの乱れが生活習慣病の発症リスクを高めることなど、いままで数多くの報告がなされている(4)。これらの研究が進められた背景としては、朝食の欠食がとくに若年層において高い傾向にあることが挙げられる(5)。

筆者も1998年から思春期後の性成熟完成期にある女子大学生を対象に朝食欠食が若年女性の生殖機能に及ぼす影響について実態を調査してきた。その結果、この時期の朝食欠食は月経周期の異常、すなわち生殖機能に機能的に悪影響を及ぼすことを見いだした(6)。また、朝食欠食者は毎日朝食を食べている人よりも月経痛が強いことも確認された(6)。さらに、他の有害と考えられる食習慣、例えばファストフードや加工食品を多用するといったことよりも、一日の活動の最初の段階での飢餓状態を生じさせる朝食の欠食は女子学生の体調など日々のQOL（Quality of life）にも影響を及ぼす可能性が示された(7)。

英語で朝食を意味する"breakfast"の語源は「断食を破る」であり、長い夜を経て食べる朝食は断食後の初めての食事と位置づけられる。このとき、私たちの身体は起床時の朝の光で脳の中枢時計を、また朝食摂取で体内の末梢時計をリセットし、二つの時計は同期しながら24時間の体内リズムを調整している。このため朝食を摂らないと心身の不調が現れる。重要なのは、その障害は新しい生命の誕生を司る生殖機能においても例外ではないことである。すなわち朝食欠食は個人の健康の問題にとどまらず「種」の保存を脅かす可能性がある。朝食を毎朝摂ることは、その刺激によって末梢時計のリズムを正常に調節していることになる。

（2）ダイエットの影響

やせている方が美しいという思い込みによる過度のやせ願望は今や老若男女、全世代に広がっているが、とくに若い女性においては顕著である。そのため食事を抜く、あるいは減らすというダイエット法は常に存在している。

思春期以降の生殖機能が完成する過程にある女性（18～22歳）は、保護者の管理が緩やかになり、生活習慣も比較的本人の自由に任せられた環境にある場合が多い。そのため、食生活習慣の乱れも起こりがちにもかかわらず、この世代を対象とした予防的な食事指導や指標は十分ではなく、また適切な医学用語も存在しない。そこで筆者らは、生殖機能の成熟期にさしかかったこの時期を「ポスト思春期」と位置づけ、食生活と生殖機能障害の関係を明らかにすることを目的に、約20年にわたり女子大学生を対象としたアンケートによる実態調査を行ってきた。

その結果、女子大学生には美容目的のダイエット志向が根強く60%以上に本格的なダイエットの経験があるが、現在ダイエット中の学生では月経周期異常が増加するのに対して、過去にダイエット経験がある学生では現在月経周期異常はないものの月経痛の程度が強いことが観察された(8)。これは思春期のダイエットが、ダイエットを終了した後も長期にわたって女性の生殖機能に悪影響を及ぼす可能性、すなわち思春期の食事制限がその後に器質的な婦人科病変を引き起こす引き金となり得ることに警鐘を鳴らしている。その機序としてダイエット中のホルモンバランス異常による子宮筋の収縮異常で月経血の逆流現象が増加するなど、子宮内膜症病変の進展を促進したため、ダイエット終了後に月経痛が出現してきた可能性が考えられる(8)。いずれにしても性成熟完成期にある女子大学生にとって月経痛は将来の妊孕性の低下をまねく器質的な婦人科疾患の存在を示唆する極めて重要な医療情報である。ダイエット終了後の月経痛の出現は「ダイエット経験者の婦人科器質性疾患の発症」の危険性を念頭におく必要がある(9)。

（3）ラットによる検証実験

前述したように不適切な食事摂取のタイミングが概日リズムの異常を介して生殖機能を損なう可能性が推察される。そこで、食事摂取と明暗サイクルの非同期が生殖機能に与える影響を検証する目的で、筆者らは若い雌ラットを用いて、概日周期の食事摂取タイミングと発情周期の生殖機能との関係を調べた[(10)]。

具体的にはラットの一日として12時間の明期と12時間の暗期を設定し、24時間自由に餌を食べることのできる対照群と、明期、暗期にそれぞれ12時間のみ餌を与えた群とを比較した。ラットは夜行性なので明期のみの給餌群は本来なら活動していない（だいたい寝ている）時間にしか餌を食べることができない。一方で、対照群および暗期のみの給餌群は活動時間に餌を食べることができる。とくに暗期のみの給餌群は、24時間だらだらと餌を食べることもできる対照群に比べて12時間は絶食した後なので、明暗サイクルが切り替わったタイミングでほとんどの餌を食べる。まさに起床時に食事を摂取する“breakfast”の状態である。この実験の結果は、予想通り、明期の給餌群において暗期（活動期）の給餌群と比べて、排卵回数および排卵数が有意に減少した。このことから、若い雌ラットにおいては食物摂取のタイミングが視床下部―下垂体―卵巣系の機能を制御する重要な因子であることが実証された。

４．新しい疾患概念：ADHOGD（思春期食習慣誘導産婦人科疾患）

（１）DOHaD（健康と病気の発生起源説）

かつての日本では「小さく産んで大きく育てる」ことが推奨された時期があった。赤ちゃんが小さいと分娩が楽で産後の回復も早い、という考えが、女性のやせ願望と相まって広がったものである。しかし、現在の周産期学および小児学の分野では、DOHaD (developmental origins of health and disease)、すなわち胎児期で暴露した栄養摂取異常による発育遅滞が、出生後の栄養摂取の正常化で成長曲線が速やかに正常児に追いつくものの、胎児期のプログラミングが成熟後の生活習慣病発症の増大に強い影響を与えるという説が注目されている[11]（図２）。

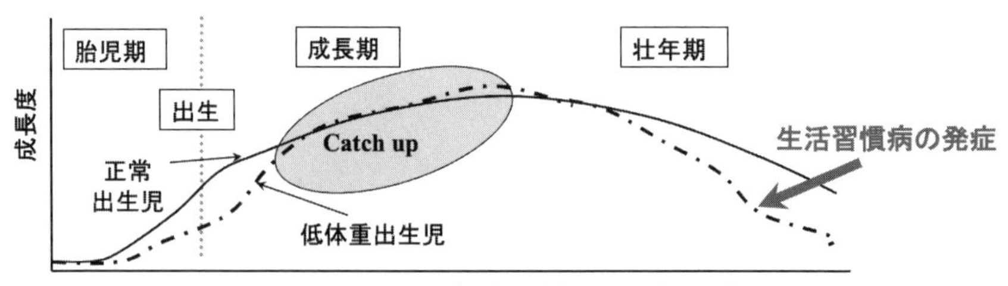

図２　DOHaD（健康と病気の発生起源説）

これは胎児期に母親から十分な栄養が与えられず低栄養であった場合、出生後に運動不足、過剰な栄養、ストレスなどの望ましくない環境に曝露されると生活習慣病を発症する、言い換えれば生活習慣病は胎児の頃には既にプログラミングされている、というものである。

（2）ADHOGD（思春期食習慣誘導産婦人科疾患）

前記のDOHaD説の胎児期を思春期および思春期直後の性成熟完成期に置き換えると、性成熟過程、すなわち「次世代を誕生できる生殖機能が新たに発達する時期」にある女性の食生活は以後の母性を担う時期のQOLに重要な影響を与えると推察される。そこで著者らは女性の性機能の発達をトータルに捉え、「思春期」および「ポスト思春期」の食生活様式に着目し、「性成熟完成過程における女性において食生活の乱れで生じた生殖機能の異常は、その後の食生活習慣の改善とともに正常化されたように思われても、母性を担う時期に再び顕在化して重大な支障を生じる」と着想するに至った[12]（図３）。

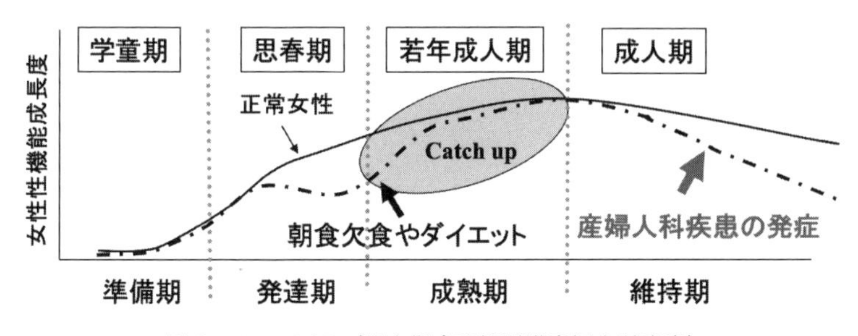

図3　ADHOGD（思春期食習慣誘導産婦人科疾患）

生殖臓器は思春期から青年期にかけて性差を示しながら顕著に発達・成熟する。そこでこの時期にダイエットや朝食抜きなどの不適切な食生活が生殖機能の発達・成熟を阻害し、産婦人科疾患の潜在的な進行を誘発し、後に産婦人科疾患の発症につながる新しい病態を想定し、ADHOGD（adolescent dietary habit-induced obstetric and gynecologic disease）と名付けた[12]（図4）。

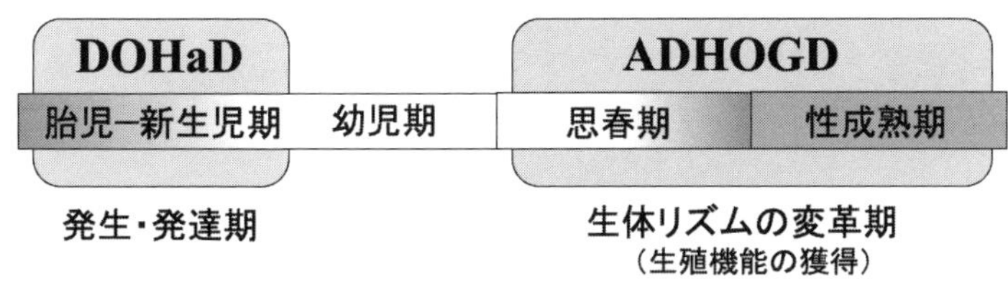

図4　DOHaDとADHOGD

（3）遺伝子改変マウスを用いたADHOGD機序の解析

ADHOGDの病態である子宮機能異常の発症機序として末梢時計遺伝子の関与が推察された。そこで子宮時計遺伝子の生殖機能に対する病理学的な役割を検討するため、子宮特異的に時計遺伝子*Bmal1*（ビーマルワン）を欠損させたマウス（*Bmal1* ノックアウトマウス）を作製して検証した[13]。その結果、*Bmal1* ノックアウトマウスでは受精卵（胚）の着床は可能なものの、その後の妊娠を維持できないことが判明した。さらにマイクロアレイによる遺伝子オントロジー解析の結果、*Bmal1* ノックアウトマウスでは妊娠維持や胎盤形成に重要な免疫細胞である子宮ナチュラルキラー細胞の機能が抑制されていることが示された。組織学的検査では、胎盤の母体血管腔の形成が不良であることが明らかになり、後述のヒトにおける妊娠高血圧症候群と同様に胎盤形成不全が起こっていることが示された。これらのことから、マウスにおいては子宮時計遺伝子機能が胚着床後の妊娠維持に重要な働きを示していることがわかった(13)。

（4）月経困難症と妊娠高血圧症候群

上記のマウス実験で示唆されたADHOGDの病態を支持する知見として、若年女性の月経痛と妊娠時の産科合併症との関連も示された。共同研究者の中山らは妊産婦に質問紙調査を行い、月経困難症や月経不順の有無とその時期について妊娠高血圧症候群発症に関わる可能性を検討した(14)。妊娠高血圧症候群は妊娠時に高血圧を主体とする症状が認められるもので、母体死亡や胎児新生児死亡の原因にもなる重篤な疾患である。以前は妊娠中毒症と名称されていた。母体年齢、肥満、腎疾患などが危険因子として指摘されている。

調査の結果、妊娠直前の月経困難症と妊娠高血圧症候群との間に有意な関連は認められなかったが、20歳前後に月経困難症を経験した患者では妊娠高血圧症候群の発生率が有意に増加することが明らかになった(14)。これは若年期の月経困難症が改善されたとしても、妊娠などの身体的負荷がかかると周産期疾患として顕在化するリスクが高いことを示している。妊娠高血圧症候群は、胎盤形成時に母体の血管が十分に再建されないことが原因と考えられており、これらの結果は、若年期の月経痛に伴う子宮機能異常を子宮が「記憶」している可能性を示していると考えられる。

5．若年期に記憶される障害

(1) 朝食欠食とダイエットの共通点

今までの話をここで少しまとめると、朝食欠食と過度なダイエットはどちらも月経痛に代表される月経困難症の原因となる可能性があること、とくにダイエット中には月経周期異常は起こるものの月経痛は強くなく、ダイエットを終了して月経周期も正常になった後になってから月経痛を引き起こす可能性があること、そしてそれは産婦人科疾患の潜在的な進行のサインである可能性があること、事実、20歳前後に月経痛を経験した妊産婦では、妊娠の直前に月経痛があった妊産婦よりも妊娠高血圧症候群の発症率が高まっていたことなどである。

それでは、朝食欠食とダイエットにはどのような共通点があるのだろうか。今までの研究で、朝食欠食の有無あるいはダイエットの有無でBMI（Body Mass Index／肥満や低体重の判定に国際的に用いられている体格指数）に大きな差は無いことがわかっている。つまり、どちらの場合も月経痛が引き起こされる理由として摂取エネルギー量が少ないという要因のみでは説明できない。

しかしながら一日の活動を開始するはじめの段階での朝食抜きによる飢餓状態の存在、つまりは長すぎる「空腹」時間が、これらの現象を説明する可能性がある[(15)]。本来、朝の光とともに朝食を食べるという自然のリズムが、朝食欠食によって崩れると空腹の時間は延長される。また、ダイエットは食べたい気持ちを抑えることから空腹のストレスを増強すると考えられる。このように朝食の欠食あるいはダイエットの共通点として、どちらも「過度の空腹ストレス」になり得るリスクが挙げられる。これらの異常な空腹ストレスが生殖機能やその臓器が発達する若年期に継続すると、その摂食条件が食料摂取の環境要因として認識され、生殖臓器の機能発達に誤って「記憶」されて、ADHOGD

の発症へ繋がることが推論される。

（2）空腹・満腹・食欲

そもそも空腹とはどういうことだろう。対比する言葉として「満腹」、よく似た意味で使われる言葉に「食欲」がある。

満腹感は食事を続けていると、食べ物を食べたいという欲求が鎮まり、もうこれ以上は食べたくないと感じる感覚である。わりと単純なシステムで、胃壁の伸展や血糖値の上昇によって、間脳視床下部にある満腹中枢が食べるのをやめるように指令を出す。

一方で空腹感は、血糖値の低下や血中遊離脂肪酸（脂肪が分解されたもの）の増加などによって間脳視床下部の摂食中枢が刺激されることによって起こる感覚であるが、健康状態や精神状態によっては食後に相当な時間が経った場合でも感じないことがある。

満腹中枢と摂食中枢を食欲中枢といい、食欲はこの働きに支配されている。ただし、食欲には心理的因子や社会的因子も関与していて、空腹感が生命維持のために備わった不快な感覚であるのに対して、食欲は視覚・聴覚・嗅覚・触覚・味覚を介した食物刺激や食経験の記憶などによって呼び起こされる複雑な感覚である。そのため様々な要因によって食欲は変化する。例えば適度な運動や作業、快適な空間温度や楽しい気持ちなどは食欲を増進させるが、糖尿病などの疾患や欲求不満などでは食欲が亢進して過食に走る場合もある。また、過度の身体疲労や心労、消化器疾患、薬物、うつ病や神経症からは食欲不振に陥る場合もある。

このような食欲の異常は、実は先に述べた雌ラットの実験でも認められていた。明期のみの給餌群は、暗期（ラットの活動期）の給餌群に比べて体重の増加が少なく、一週間あたりの食べた餌の量もやはり少ないことから、本来の生活リズムと違う時間に餌を食べていたラットは食欲が無いことが示された。さらにこのラットの実験で食餌制限を解除し、そのまま対照群と同様にどちらの群も24時間自由に餌を与えて様子を観察すると、その後も食餌摂取量の減少が継続し、食欲自体が低下することが示された[10]。若年期の食生活習慣異常の影響が後に食欲の異常として残るとしたら、それこそがダイエットの最大の怖さかもしれない。

6．ダイエットの影響を軽減する朝食摂取

先のラットの実験では若年期の食餌制限がその解除後も食欲不振を誘発する可能性が示唆された。日本の若い女性のやせ願望は、今や社会問題となっており、2020年に日本学術会議は若い女性のやせを社会問題と捉えて提言を行った。それは、「学童・思春期から若年成人期の若い女性（妊娠前）のやせ、妊産婦・授乳期の低栄養は、次世代にも悪影響を及ぼす。従来からこの点は指摘されているが、改善が見られない。」とし、低出生体重児に関連する若年女性のやせは妊娠糖尿病のリスクが５倍高く、生涯にわたって骨や筋肉の量の低下、代謝異常とも関連する問題であり、「実効性ある対策の開発と実施が喫緊の課題である」というものである[16]。実際、日本では2,500グラム未満の低出生体重児の割合は年々増えており、2018年の段階で、女児で10.5%、男児で8.3%を超え、先進諸国の平均6.6%を大きく上回っている[16]。

しかしながら、やせすぎは体に良くないと認識していても実際には多くの若年女性が不要と思われる過度のダイエットを志向しており、これを完全に制限することは難しい。さらに問題なのは思春期やポスト思春期にダイエットを行うことで無自覚の食欲異常を起こし、空腹ストレスによって引き起こされた異常が「記憶」されて、ADHOGDへとつながることである。これは生殖臓器の機能異常に加えて重要な機序と考えている。

それでも、ラットの実験で食物摂取のタイミングが視床下部―下垂体―卵巣系の機能を制御する重要な因子であることが示唆されたように、摂食のタイミングが生体リズムと合致すれば、ダイエット下においても生殖機能に対する悪

影響を抑制できる可能性がある。ダイエットをするにしても朝食は摂るようにする、これだけでも将来の妊孕性の確保につながるかもしれない。

朝食を摂ることで本来の正しいリズムが刻まれていれば、サーカディアンリズムという今を生きる「個」の営みと、月経周期という次世代につなぐ「種」の営みがまさに同調して、命を紡いでいると考えることができるのである。

引用文献

（1）Vuorento ,T.; Huhtaniemi, I. “Daily levels of salivary progesterone during menstrual cycle in adolescent girls” *Fertil Steril*, 1992, 685-690.

（2）Carpenter SE. “Psychosocial menstrual disorders: stress, exercise and diet's effect on the menstrual cycle” *Current Opinion Obstetrics Gynecology*, 1994, 536-539.

（3）Bernardi M.; Lazzeri L.; Perelli F.; Reis F.M.; Petraglia F. “Dysmenorrhea and related disorders” *F1000Research*, 2017, 1645.

（4）藤原智子「食事と生体リズムと生殖機能」研究紀要〈芦屋女子短期大学〉36号、2010、1-19.

（5）厚生労働省 平成29年国民健康・栄養調査報告　結果の概要「朝食の欠食に関する状況」、2018、https://www.mhlw.go.jp/content/10904750/000351576.pdf（2023年4月10日 アクセス）

（6）Fujiwara T. “Skipping breakfast is associated with dysmanorrhea in young women in Japan” *Int J Food Sci Nutr*, 2003, 505-509.

（7）Fujiwara T.; Sato N.; Awaji H.; Sakamoto H.; Nakata R. “Skipping breakfast adversely affects menstrual disorders in young college students.” *Int J Food Sci Nutr*, 2009, 23-31.

（8）Fujiwara T. “Diet during adolescence is a trigger for subsequent development of dysmenorrhea in young women” *Int J Food Sci Nutr*, 2007, 437-444.

（9）Fujiwara T.; Ono M.;Iizuka T.; Sekizuka-Kagami N.;Maida Y.; Adachi Y.; Fujiwara H.; Yushikawa H. “Breakfast skipping in female college studentsis a potential and preventable predictor of gynecologic disorders at health service centers” *Diagnostics*, 2020, 476.

（10）Fujiwara T.; Nakata R.; Ono M.; Mieda M.; Ando H.; Daikoku T.; Fujiwara H. “Time restriction of food intake during the circadian cycle is a possible regulator of

reproductive function in postadolescent female rats" *Curr. Dev. Nutr*, 2019, nzy093.
(11) Godfrey K.M.; Barker D.J. "Fetal nutrition and adult disease" *Am. J. Clin. Nutr*, 2000, 1344 -1352.
(12) Fujiwara T.; Ono M.; Mieda M.; Yushikawa H.; Nakata R.; Daikoku T.; Sekizuka-Kagami N.; Maida Y.; Ando H.; Fujiwara H. "Adolescent dietary habit-induced obstetric and gynecologic disease (ADHOGD) as a new hypothesis — possible involvement of clock system" *Nutrients*, 2020, 1294.
(13) Ono M.; Toyoda N.; Kagami K.; Hosono T.; Matsumoto T.; Horike S.; Yamazaki R.; Nakamura M.; Mizumoto Y.; Fujiwara T.; Ando H.; Fujiwara H.; Daikoku T. "Uterine deletion of Bmal1 impairs placental vascularization and induces intrauterine fetal death in mice" *Int J Mol Sci*, 2022, 7637.
(14) Nakayama M.; Ono M.; Iizuka T.; Kagami K.; Fujiwara T.; Sekizuka-Kagami N.; Maida Y.; Obata T.; Yamazaki R.; Daikoku T.; Fujiwara H. "Hypertensive disorders of pregnancy are associated with dysmenorrhea in early adulthood: A cohort study" *J Obstet Gynaecol*, 2020, 2292-2297.
(15) Fujiwara T.; Nakata R. "Skipping breakfast is associated with reproductive dysfunction in post-adolescent female college students" *Appetite*, 2010, 714 -717.
(16) 日本学術会議 臨床医学委員会・健康・生活科学委員会合同 生活習慣病対策分科会提言「生活習慣病予防のための良好な成育環境・生活習慣の確保に係る基盤づくりと教育の重要性」、2020、https://www.scj.go.jp/ja/info/kohyo/pdf/kohyo-24-t293-3.pdf（2023年4月15日アクセス）

参考文献

香川靖雄『科学が証明する新朝食のすすめ』、女子栄養大学出版部、2007、126-141.
川上正澄、髙坂睦年 編集『生体リズムの発現機構』、理工学社、1984、1-2.
武谷雄二 総編集『排卵と月経』、中山書店、1998、6-9.
日本栄養・食糧学会 監修『時間栄養学』、女子栄養大学出版部、2009、77-80.

著者プロフィール（50音順）

青木加奈子（あおき かなこ）第８章
京都ノートルダム女子大学大学院人間文化研究科人間文化専攻　准教授／博士(学術)
専門：家族関係学　研究テーマ：デンマーク社会をフィールドに、親子関係やパートナー関係、育児や介護のケア意識について。
＜専門・研究テーマを選んだ理由、大学教員になった経緯＞
小学校の社会科の授業で北欧社会に出会い、大学時代に北欧の家族観や女性たちの生き方に魅了され、日本と北欧の差は何だろう？と考え続けて現在に至ります。私の北欧研究の旅は、まだまだ続きそうです。

石川　裕之（いしかわ ひろゆき）第７章
同　教授／博士（教育学）
専門：比較教育学　研究テーマ：韓国をフィールドに、通常のカリキュラムになじめない子どもや特異な才能のある子どもを対象とする教育について。
＜専門・研究テーマを選んだ理由、大学教員になった経緯＞
学校になじめず授業中ずっと空想の世界にいるような子どもでした。教育学部へは不本意入学でしたが卒業論文で教育学の面白さに目覚めました。日本の学校への違和感と受験での失敗が私を今の専門に導いてくれました。

岩崎　れい（いわさき れい）第６章
同　教授／教育学修士
専門：図書館情報学　研究テーマ：読書支援は乳幼児期からの発達段階との関わりについて、学習支援はInformation Search Process Modelと日本の学校教育のカリキュラムとの関わりについて。
＜専門・研究テーマを選んだ理由、大学教員になった経緯＞
大学では３年生で学部が決まったので、社会学か図書館情報学か西洋史学かを迷った末に図書館の道に進みました。物語が好きで、社会問題にも関心が深かったため、両方と関われるこの分野は私に合っていたように思います。

大風　薫（おおかぜ かおる）第９章
同　准教授／博士（社会科学）
専門：生活経営学　研究テーマ：単身世帯が増加する社会における女性の経済的自立・持続的な就業について。
<専門・研究テーマを選んだ理由、大学教員になった経緯>
大学卒業後に一般企業へ就職し、その都度悩みながらキャリア形成をしてきました。その中で、人生の計画を常に見直し前進することがとても大切なことに気づき、家族やライフプランニングを専門に研究しています。

鎌田　均（かまだ ひとし）第５章
同　准教授／Master of Library and Information Science
専門：図書館情報学　研究テーマ：情報と人との関わり及び、図書館による情報サービスとその役割について。
<専門・研究テーマを選んだ理由、大学教員になった経緯>
大学では歴史を学んでいました。もともと本が好きでしたが、図書館司書課程での学びと、情報を探すことの面白さに気づいたことから図書館情報学の大学院に進みました。その後図書館司書を経て今に至ります。

河野　有時（こうの ありとき）第１章
同　教授／博士（文学）
専門：日本文学　研究テーマ：石川啄木や芥川龍之介を対象に、日本近代文学の言葉や表現について。
<専門・研究テーマを選んだ理由、大学教員になった経緯>
ネットもスマホもない大昔のことで、毎日“退屈”でした。“退屈”には、経済性や効率性は不要です。ただ、本や物語とは相性がよかった。そのために、不経済、非効率が現在まで続いて、日本近代文学を専門とするようになりました。

朱　鳳（しゅ ほう）第３章
同　教授／博士（人間・環境学）
専門：中国語学　研究テーマ：歴史、文化交流史、言語史の視点から見た日中近代語彙の生成に影響を与えた諸要因について。
<専門・研究テーマを選んだ理由、大学教員になった経緯>
中国の大学では英語を専攻したため、日本への留学を決めた時に、何か中国語、英語、日本語を生かせる仕事に就きたいと思いました。たどり着いたのが西洋文化を受容する際の翻訳書とその漢字翻訳語という学際的な研究テーマです。

蜂矢　真弓（はちや まゆみ）第４章
同　講師／博士（文学）
専門：国語学　研究テーマ：被覆形・露出形、一音節語の多音節化について。
＜専門・研究テーマを選んだ理由、大学教員になった経緯＞
国語学とは、古典の文献中の用例という、客観的データを基に論証する学問です。若くても、女でも、何の権力も持っていなくても、多少なりとも戦えると思い、学部生の時に国語学を選びました。

藤原　智子（ふじわら ともこ）第10章
同　教授・専攻代表／博士（学術）
専門：食生活学　研究テーマ：思春期以後の生殖機能成熟期にある若年女性の食生活習慣と生殖機能障害の関係について。
＜専門・研究テーマを選んだ理由、大学教員になった経緯＞
生活に密着した食生活学は複数の学問領域に接するまさに学際的な特性を持っています。学問としては少々曖昧な立ち位置ともいえますが、いろいろなことに広く首を突っ込みたい性分には魅力的な分野でした。

吉田　朋子（よしだ ともこ）第２章
同　教授／博士（文学）
専門：美術史学　研究テーマ：フランスを中心とする18世紀ヨーロッパの美術について。
＜専門・研究テーマを選んだ理由、大学教員になった経緯＞
最初は自然科学を志しました。縁あってミケランジェロのシスティーナ礼拝堂天井画を見た時に、「天才っているんだな」と突然理解し、人間も面白いなと思うようになり、美術史に流れつきました。

（著者の所属と職位は2023年８月時点のものです）

文化のポリフォニー

2023年10月10日　第1刷発行

編著者　石川裕之・大風　薫
著　者　青木加奈子・岩崎れい・鎌田　均・河野有時・
　　　　朱　鳳・蜂矢真弓・藤原智子・吉田朋子
発行者　竹村正治
発行所　株式会社 かもがわ出版
　　　　〒602-8119　京都市上京区堀川通出水西入ル
　　　　TEL 075(432)2868　FAX 075(432)2869
　　　　振替 01010-5-12436
　　　　ホームページ http://www.kamogawa.co.jp
印刷所　シナノ書籍印刷株式会社

ISBN978-4-7803-1292-8 C0000